UN MONDE

ET SES

MERVEILLES

AU JOUR LE JOUR

Éditions
de La Martinière

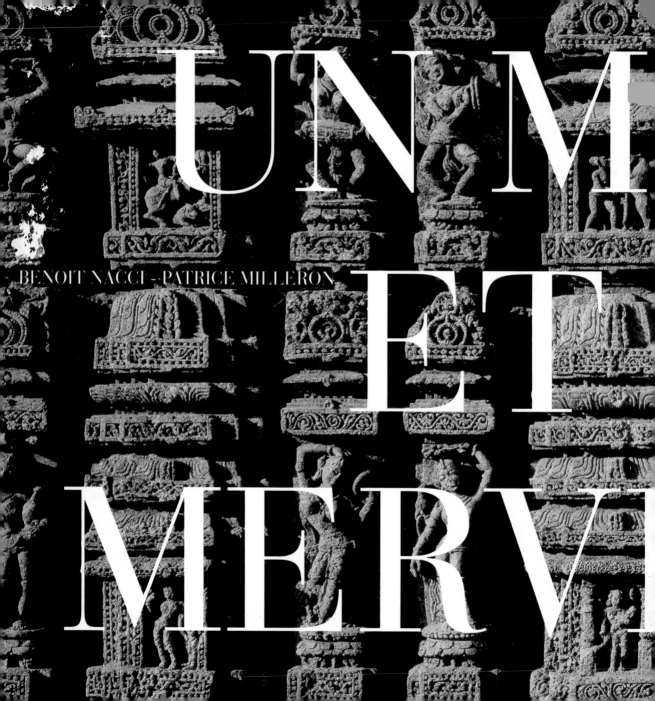

UN M

ET

MERVI

BENOÎT NACCI - PATRICE MILLERON

ONDE SES FILLES

AU JOUR LE JOUR

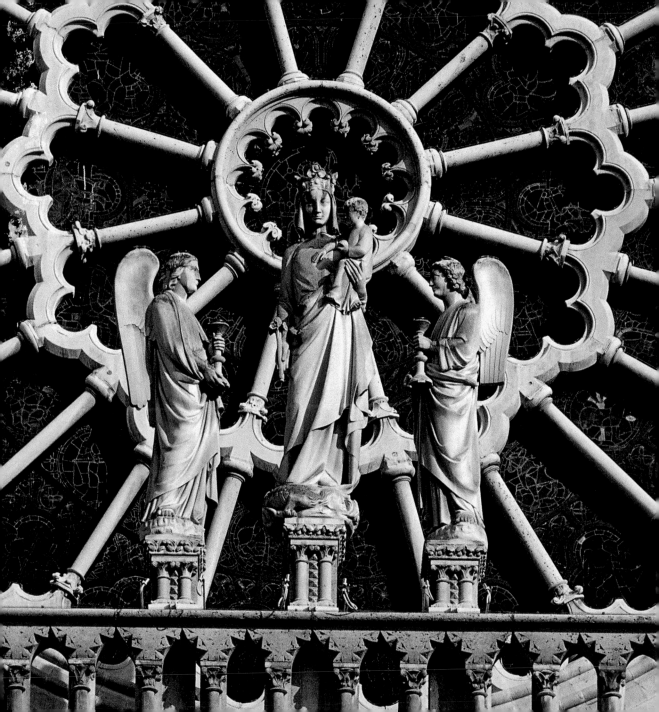

Voyager dans le temps, participer à la naissance des reliefs, plonger dans les entrailles de la Terre, vivre la formation des paysages puis la présence grandissante des hommes qui la façonnent peu à peu : tel est le but des photographies et des textes rassemblés dans cet album. Jour après jour, on découvre le monde et les hommes qui l'habitent, dans un parcours qui va des étonnants phénomènes naturels que sont le banc d'Arguin ou la baie d'Along aux constructions les plus ingénieuses de bâtisseurs hors du commun. Lieux sacrés, cités fortifiées, demeures seigneuriales, villes couronnées de dômes ou de clochers, de tours ou de minarets, tous ces lieux sont autant de signes fascinants, véritables contrepoints aux formes primordiales de la nature. Ainsi, depuis des millénaires, se sont écrites pour nous les Merveilles du Monde, inscrites au patrimoine mondial, témoins et garants de l'humanité tout entière.

Écriture visuelle : Benoit Nacci

© 2006 Éditions de La Martinière,
une marque de La Martinière Groupe, Paris, France

Sommaire

La grande muraille de Chine

La seule construction humaine visible depuis la Lune inscrit sur l'horizon la puissance de l'homme bâtisseur et guerrier.

Ce tronçon n'est pourtant qu'une partie du gigantesque ouvrage défensif édifié durant des siècles pour protéger l'empire d'éventuels envahisseurs déferlant depuis les steppes de l'Asie centrale. Entre 770 et 220 av. J.-C. sont dressés des murs que l'empereur Qin Shi Huang unifie ensuite en un seul rempart, long de 5 000 km. Il ne cessera de s'étendre : au IIIe siècle ap. J.-C., il atteint le double de longueur. Aux XIVe et XVe siècles, on le renforce, remplaçant par endroits la terre par des constructions en dur atteignant 6 m de large et 8 m de haut et formant un chemin de ronde crénelé ponctué de tours et de bastions. La dynastie des Ming redoute alors la menace des Mongols. Mais plus que les envahisseurs, les séismes, l'ensablement ou le vandalisme ont altéré cette œuvre titanesque, dont ne subsiste aujourd'hui que 30 %.

Rio de Janeiro

Comme en bien des terres latino-américaines, la sensualité
et la mystique cohabitent sans problème au Brésil.
Carnaval de Rio et Christ monumental au sommet du Corcovado
en sont des témoins parfaits, intimement liés chacun à la ville
et la sublime baie de Rio.

Le Christ du Corcovado – œuvre du sculpteur français Paul Landowski, en 1931 – se dresse à 710 m
d'altitude : c'est dire l'ampleur du site de la ville
qui, jusqu'à la construction de Brasilia, fut la capitale du Brésil. Simple comptoir d'échanges entre
Indiens et Portugais au XVIe siècle, elle est
aujourd'hui la ville la plus importante du pays, avec
plus de 6 millions d'habitants, les Cariocas, que l'on
n'imagine pas sans musique et sans danse tant on
les associe au fameux carnaval de Rio. Cependant,
la ville est celle de tous les paradoxes : richesse
ostentatoire et plages de rêve, mais aussi violence
et misère poignante des *favellas*, les immenses
bidonvilles qui cernent la ville.

Le Banc d'Arguin

*Surprenante rencontre entre le sable et la mer,
et surtout entre l'immensité sèche du désert et les eaux de l'océan.
Un contraste comme seule l'Afrique en propose.*

Sur 5 000 km d'est en ouest, de la mer Rouge à
l'Atlantique, le Sahara renouvelle ses paysages de
roche ou de sable dans l'unité de son indomptable
sécheresse. À chaque extrémité, des dunes arides,
privées de toute végétation par une constante et
forte érosion éolienne, s'étendent jusqu'à la mer.
Mais ici, la rencontre des deux éléments se fait dialogue : les eaux peu profondes de l'océan se mêlent
au continent dans une vaste zone de marais et de
vasières qui est un refuge apprécié par plus de
270 espèces d'oiseaux migrateurs ; on en a estimé le
nombre, chaque saison, à plus de 2,5 millions. Ce
qui justifie les mesures de protection de ce milieu
naturel exceptionnel de la Mauritanie.

Le Mont-Saint-Michel

Au péril de la mer ? Oui, la mer, même ensablée,
assaille le mont de toutes parts. Et il devient signal, repère,
dressé contre toutes les tempêtes, portant bien haut la flèche de
son abbatiale au-dessus du bourg médiéval fortifié.

Les tempêtes de vagues et de vent, mais aussi les
tempêtes de l'âme, sont exorcisées depuis des siècles
dans ce monastère forteresse : depuis que Aubert, en
966, eut la folle idée de dresser un oratoire sur un
rocher, au milieu d'une baie aux dangereux courants. Peu à peu ensablée jusqu'à nos jours, celle-ci
devrait retrouver la plénitude de ses eaux après de
gigantesques travaux qui referont de la mer l'assail-
lante des constructions médiévales. Celles-ci, ache-
vées au XIIIe siècle, apparaissent comme un entasse-
ment de chapelles, d'une haute église et de
bâtiments monastiques jouxtant le cloître très justement nommé « la Merveille » : 227 fines colonnettes
pour une dentelle de pierre entre mer et ciel.

5 janvier

La cathédrale de Chartres

Deux flèches se dessinent peu à peu sur l'horizon immensément austère de la plaine de Beauce ; la cathédrale si souvent chantée par les poètes semble jaillir des blés, ne laissant apparaître que bien plus tard la ville à ses pieds.

On dit que Notre-Dame-sous-Terre, la Vierge noire conservée dans la crypte de la cathédrale, serait une copie médiévale d'une déesse gauloise de la fécondité. Ce qui est sûr, c'est que pour elle on construisit et reconstruisit, après plusieurs incendies terribles, des sanctuaires toujours plus grands, toujours plus beaux. De la reconstruction entreprise après l'incendie de 1194 subsistent crypte, clochers et façade ouest. Aux portails s'épanouit une splendide statuaire gothique, tandis que les 170 verrières, soit 2 600 m^2 de vitraux, dispensent leur inimitable lumière colorée dans cet édifice particulièrement vaste qui fut achevé en 1225.

Tokyo

Mégapole aux multiples visages, la capitale japonaise
noie presque son passé sous l'omniprésence de la modernité.
Pourtant le charme de l'Extrême-Orient résiste…

Tokyo, l'ancienne Edo, est la capitale du Japon depuis 1868 ; elle succède alors dans cette fonction à la cité historique de Kyoto. Dévastée par des séismes puis par la deuxième guerre mondiale, la ville a été reconstruite rapidement, sans plan d'ensemble cohérent, tandis qu'une expansion continue en augmentait encore la confusion. On dit que les 30 millions d'habitants de son agglomération – la plus importante du monde – s'y perdent parfois eux-mêmes… Au cœur d'un grand désordre de constructions, le palais impérial occupe une vaste surface. Çà et là, temples et pagodes reconstruits dans le style traditionnel inscrivent l'immense ville dans la culture ancestrale du Japon ; et les plus illustres et somptueuses pagodes sont autant lieux de tourisme que de prière.

Vézelay

*Une « colline éternelle » dit-on, couronnée
par un chef-d'œuvre d'architecture et de sculpture médiévales,
et qu'assaillent les maisons du bourg et quelques vignes :
tel est Vézelay, en Bourgogne.*

Depuis plus de treize siècles, la colline des confins bourguignons est un haut lieu de la chrétienté. La basilique qui la couronne est reconnue comme un chef-d'œuvre de l'art médiéval. Au Xᵉ siècle, l'abbaye bénédictine de Vézelay accueille les reliques de sainte Marie Madeleine, premier témoin de la résurrection du Christ. Alors se développe l'un des plus importants pèlerinages de la chrétienté, tandis que l'endroit devient un point de départ du chemin vers Compostelle. Pour accueillir la foule des pèlerins, l'église est reconstruite entre 1120 et 1185. Joyau d'architecture romane et gothique habité d'une merveilleuse lumière, elle est ornée de sculptures exceptionnelles, tympans et chapiteaux.

Phénomène de vapeur
volcanique sur un volcan d'Islande

On ne peut dissocier dans le volcanisme les éléments primordiaux que sont le feu et l'eau. Mais bien vite, lors des éruptions, ils rejoignent leurs deux compléments, l'air et la terre.

L'Islande n'est qu'un massif volcanique immergé il y a peu : quelques millions d'années… Glaciers et volcans en occupent le centre, faisant cohabiter des milieux aux températures extrêmes et mêlant, comme à l'état brut, les composants élémentaires de l'univers. Ainsi, outre les cendres et la lave, les volcans rejettent, lors des éruptions, une grande quantité de vapeur d'eau qui joue un rôle important dans le cycle de l'eau. Après sa condensation en nuages, l'eau retombe sur la terre, y pénètre ou y ruisselle, et forme les rivières. L'action éruptive de ces dernières, relayant en quelque sorte les phénomènes volcaniques originaires, modèle à son tour les paysages en dessinant et creusant les vallées.

La cathédrale d'Amiens

*Les grandes cathédrales gothiques sont œuvres collectives :
églises des évêques, elles sont aussi celles
de toute une ville. Ainsi celle d'Amiens, la plus vaste
des cathédrales de France.*

La cathédrale d'Amiens fut élevée en un délai
record : entre 1220 et 1270. Une rapidité que l'on
explique par la grande richesse de la ville, due à
l'activité drapière et en particulier à une célèbre
teinture bleue, et à l'engagement de toute la
population dans le chantier. Aérienne grâce à son
triforium lumineux, longue de 143 m et d'une
hauteur impressionnante, la cathédrale d'Amiens ne
vaut pas que par son architecture. Tout un peuple
de pierre anime les portails, dont le fameux « beau
Dieu d'Amiens » au visage serein et paisible, rassu-
rant sous le tympan du Jugement dernier. Chaque
époque a laissé mobilier ou décor sous les voûtes de
la cathédrale, comme la clôture du chœur aux 4 000
personnages (XVᵉ-XVIᵉ s.), ou les stalles du XVIᵉ s.

Le cénotaphe de Jashwant Singh II

Monument funéraire où les restes du défunt sont absents, le cénotaphe permet d'honorer la mémoire des morts dont le corps a été brûlé.

À l'intérieur même de la forteresse de Jodhpur, au Rajasthan, entre les édifices de défense et les palais, on trouve plusieurs monuments religieux. Ainsi ce cénotaphe tout de marbre blanc édifié en 1899 pour honorer Jashwant Singh II, maharadjah de la principauté du Marwar de 1873 à 1895. Cénotaphe et non tombeau : les familles royales ou princières pratiquaient en effet la crémation des morts. À Jodhpur, des espaces étaient réservés à cet usage dans la ville, et, faute de tombeau, les personnalités les plus prestigieuses avaient droit à ces mausolées souvent splendides. Ils sont particulièrement nombreux sur le site de Mandore, l'ancienne capitale du Marwar à laquelle a succédé Jodhpur.

Le monastère du Pic d'Or

*Le site grandiose des monts Wudang, dans la province chinoise
de Hubei, n'est pas seulement un haut lieu taoiste.
C'est aussi le berceau des arts martiaux en Chine.*

Propriété impériale durant des siècles, les monts
Wudang abritent de nombreux temples édifiés par
les dynasties des Yuan, des Ming et des Qing, du
XIVᵉ au XVIIᵉ siècle. Ils ont été à la source du
développement des arts martiaux et de la médecine
traditionnelle chinoise. Le monastère du Pic d'Or se
dresse depuis 1416 sur une triple terrasse au
sommet du Tianzhu. Entouré d'un rempart, il est
parfois surnommé « cité interdite ». Il est richement
paré d'un décor en bronze et resplendit d'un décor
d'or et de multiples couleurs. On y enseigne depuis
le XVIᵉ siècle les arts martiaux du style dit interne,
introduits par le maître Zhang Sanfong, privilégiant
l'art de la défense, par opposition au style dit
externe, qui privilégie l'attaque.

Le Tower Bridge

*Image caractéristique de Londres, le Tower Bridge en magnifie
le fleuve, la Tamise. Il mêle l'aspect un peu désuet
de son tablier mobile aux formes néogothiques de ses tours.*

Pont routier dont les deux travées du tablier
s'élèvent encore pour laisser le passage à quelques
navires ralliant le port de Londres – le relevage a
fonctionné à la vapeur jusqu'en 1976 –, le Tower
Bridge a été inauguré en 1894. Sa travée centrale
est formée des deux tronçons de chaussée relevables,
sur une structure en acier comme l'ensemble de
l'ouvrage. Les tours elles-mêmes, bien que revêtues
de pierre, ont une structure de même nature. Des
ascenseurs permettent l'accès à la galerie supérieure
reliant les tours. La situation du pont au cœur de la
ville en fait un point d'observation remarquable.

San Cristobal de las Casas

Le style colonial pour les habitations, le baroque et le rococo pour les églises, et partout une population d'origine maya offrant les produits de son artisanat : toute l'histoire du Mexique est ici présente, au cœur des montagnes du Chiapas.

Au sud-est du pays, la ville, qui fut un temps la capitale de l'État du Chiapas, est à 2 300 m d'altitude. Fondée en 1528, elle porte un nom qui témoigne de l'histoire, hommage au dominicain Bartolomé de Las Casas, défenseur de la cause des Indiens lors de la colonisation. Partout les couleurs vives et variées animent la cité, celles des toits de tuiles rouges et des murs ocre, des retables et des statues des églises, comme celles des vêtements traditionnels, des tissus, des fruits et des légumes sur les étals des marchés.

Prague

Le rude hiver de Prague n'en altère pas la beauté.
De part et d'autre de la Vltava – la Moldau –, les cafés animés
les églises emplies de musique, les porches et les passages
deviennent alors les refuges d'une vie chaleureuse,
celle de la Bohème d'autrefois.

On dit de Prague, la capitale de la République tchèque, qu'elle est « la ville aux cent clochers », mais
on y dénombre en fait 550 tours ! C'est dire la
richesse et la densité historique de la cité, formée au
pied de son château fondé en 870 et résidence des
rois de Bohème. Un temps capitale du Saint Empire,
ville baroque où fut donnée la première du *Don Giovanni* de Mozart, foyer de liberté face à la domination soviétique où éclôt le Printemps de Prague en
1968 puis la révolution de Velours en 1989, Prague
est bien l'une des capitales historiques, artistiques et
culturelles de l'Europe ; la création contemporaine y
est d'ailleurs fidèle à cette longue tradition.

Le Duomo de Milan

Trépidante, sans repos, la grande métropole de l'Italie du Nord
n'en est pas moins une ville d'art ;
en son centre, la cathédrale, le Duomo, est
un chef-d'œuvre de l'architecture gothique.

Le Duomo de Milan est l'une des plus grandes églises du monde et, pour les Milanais, le repère évident du centre le plus vivant de leur ville. Commencée en 1386, sa construction s'est poursuivie jusqu'au XVIᵉ siècle, et on l'embellit encore au XIXᵉ, à l'initiative de Napoléon. Hérissée d'une multitude de flèches et de pinacles, ornée de très nombreuses statues, on la surnomme parfois « le hérisson de marbre », un marbre blanc et lumineux que même la pollution de la ville ne parvient pas à ternir. L'intérieur est imposant : près de 150 m de long pour 46 m de haut, de puissantes colonnes dont les chapiteaux portent des statues plus grandes que nature... Un superbe pavement, des tombeaux, le mobilier accentuent encore le sentiment de foisonnement donné par l'édifice.

Moorea

*L'île du « Lézard jaune », Moorea en polynésien,
concentre toutes les merveilles du Pacifique Sud.
Elle est surnommée « l'île sœur de Tahiti ».*

L'île de Moorea appartient à la Polynésie française. À 17 km de Tahiti, elle apparut il y a trois millions d'années à la suite d'un grand bouleversement volcanique. Sa barrière de corail isole un lagon où s'épanouit une faune sous-marine chatoyante. L'île elle-même, de 134 km², très montagneuse, est recouverte d'une végétation tropicale luxuriante. Dans ses vallées, les rivières dévalent en cascades, et de splendides plages de sable blanc ponctuent ses côtes. Découverte par le capitaine Cook en 1769, l'île a produit de la vanille et du café ; elle est aujourd'hui un important centre de plantation d'ananas.

L'erg Ouarane

La poésie des dunes, impressionnantes par leur ampleur dans les massifs de sable sahariens – les ergs – , doit beaucoup à leur relief changeant façonné par les vents.

Au sud-est du massif de l'Adrar, en Mauritanie, l'erg Ouarane est l'un de plus vastes ensembles dunaires du Sahara. Suivant un axe nord-est - sud-ouest, les sables s'y déposent après avoir été portés depuis l'Algérie par les alizés. Éclatés en multiples courants d'air, ceux-ci modèlent les pentes des dunes en y traçant des reliefs que les lumières du levant et du couchant animent de jeux d'ombres superbes. Sur le versant exposé aux vents, les particules les plus fines sont balayées et les sols relativement fermes ; en revanche, sur l'autre versant, la finesse des sables rend toute marche quasiment impossible. Des buttes sédimentaires apparaissent parfois, vestige du temps où le Sahara était vert et fertile. Dans quelques vallées interdunaires ont été découvertes des traces d'occupation néolithique.

22 janvier

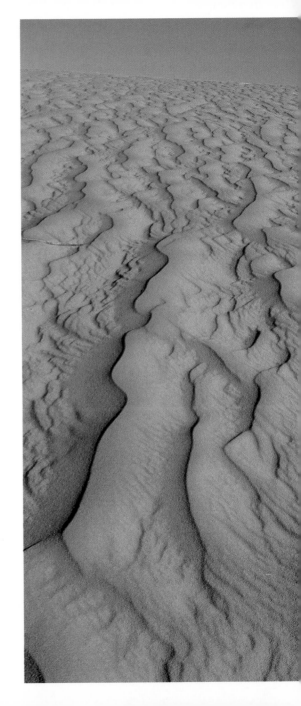

Les rives du Gange à Bénarès

La vie et la mort ont rendez-vous à Bénarès, ville sacrée et mythique. Pour les hindouistes, se baigner dans son fleuve est une nouvelle naissance, y être incinéré lors d'une cérémonie de crémation est gage de la paix éternelle du nirvana.

Au nord-est de l'Inde, sur la rive gauche du Gange, Bénarès, Varanasi pour les Indiens, aurait été fondée au VIIᵉ siècle av. J.-C. Elle est la ville sacrée des hindouistes, dédiée à Shiva. Aussi la foule des pèlerins s'y mêle-t-elle à celle des habitants – 1,5 million –, se concentrant souvent au bord du fleuve vers lequel descendent de grands escaliers, les *ghâts*, orientés face au soleil levant ; il y en a plus de 70. C'est là que se pratiquent les crémations et les ablutions sacrées, dans des eaux qui recueillent les effluents de plus de trente égouts... Au-dessus s'élèvent des temples et des palais desservis par un très dense réseau de ruelles ; ashrams (centres d'enseignement) et écoles de yoga y sont nombreux.

Le glacier du Rhône

En Suisse, le glacier du Rhône est l'un des plus importants glaciers des Alpes. Il possède une majesté digne du fleuve auquel il donne naissance et dont il porte le nom.

Longtemps ce superbe glacier mesura plus de 10 km de long, avant de se réduire, depuis le milieu du XIXᵉ siècle, pour mesurer aujourd'hui environ 9 km. Ainsi, c'est la source même du Rhône qui est « remontée », tandis que le cours du fleuve s'allongeait… De ces évolutions témoignent d'importantes moraines, dépôts de pierres laissés par la fonte du glacier soit sur ses rives, soit à son extrémité inférieure. En aval, elles sont peu à peu devenues le support d'une belle végétation où l'on trouve des azalées, des lys, des rhododendrons. Attrait touristique supplémentaire, une grotte a été creusée dans la glace ; elle permet de découvrir les différentes strates de la formation du glacier.

La haute vallée du Zanskar

*Longtemps très isolée – la principale piste d'accès n'a été
ouverte que dans les années 1980 –, le Zanskar est une région
vouée au bouddhisme tibétain au cœur du massif himalayen.*

Est-ce l'imprégnation de la spiritualité bouddhiste
qui donne à certains paysages des régions himalayennes une atmosphère paisible bien éloignée de la force
hautaine des sommets les plus élevés du monde ? Il
est vrai que dans l'ancien royaume du Zanskar, au
Ladakh qui dépend aujourd'hui de la province
indienne du Cachemire, rares sont les sites accessibles
qui ne soient pas proche d'un monastère. On
comprend alors que l'ancien royaume, formé de quelques vallées d'altitude, soit surnommé le « royaume
des dieux ». Le temps y semble arrêté, et la vie s'y
écoule comme indifférente aux conflits du monde.
Dans la principale vallée, Padum est la capitale de la
région qui compte environ 15 000 habitants : c'est
une ville musulmane dans un univers bouddhiste.

Le Taj Mahal

Au rythme lent d'une caravane,
voici que se découvre un palais de rêve
dans une blancheur immaculée
rendue plus poétique
par l'atmosphère vaporeuse :
l'illustre Taj Mahal.

Le Taj Mahal n'est pas vraiment un palais, mais un mausolée, offrande de l'empereur moghol Shâh Jahân à sa seconde épouse défunte pour abriter son tombeau. Des murs de grès rose voisins émergent les formes en marbre blanc du monument le plus visité de l'Inde. Si l'on s'approche, la richesse se révèle : jaspe, turquoise, corail, cristal de roche, malachite, saphir, lapis-lazuli, cornaline, onyx, agate sont incrustés dans les murs. On dit qu'il fallut plus de 1 000 éléphants pour apporter tous les matériaux dès le début du chantier, en 1631, et que les quatre minarets sont volontairement inclinés vers l'extérieur pour ne pas tomber en cas de séisme sur le dôme et le tombeau qu'il abrite… On attribue à un architecte persan la conception de ce chef-d'œuvre de l'architecture islamique.

Dubrovnik

Venant lécher les vieux remparts de la ville, l'Adriatique
prend en Croatie des couleurs de lagon exotique.
L'aura mythique du Levant, le mystère de l'Europe balkanique
habillent Dubrovnik, la Raguse des temps passés.

Emportée dans toutes les tourmentes de l'histoire européenne, Dubrovnik se souvient de son plus lointain passé : elle aurait été fondée au VIIe siècle sur un îlot en promontoire de la côte dalmate. Surnommée « l'Athènes » ou « la perle » de l'Adriatique, elle joua un rôle important comme port de commerce, république maritime rivale et parfois dans la dépendance de Venise. Après les plaies récentes des conflits locaux des années 1990, où la ville fut assiégée et bombardée par les Serbes et leurs alliés, les 55 000 habitants voient leur cité s'ouvrir au tourisme international : sous la mosaïque colorée de ses toits, elle offre un riche patrimoine médiéval et baroque, dans un superbe environnement naturel.

La baie d'Along

Au-delà même du Vietnam, le site est considéré comme l'un des plus beaux de toute l'Asie. La terre, sous la forme d'îlots et de rochers, s'y mêle à la mer pour composer un paysage de rêve.

Faut-il vraiment croire, comme y invite une légende locale, à la présence sous-marine d'un dragon (*Ha long*, en vietnamien) dont la plongée aurait fait monter le niveau des eaux au point de noyer des montagnes dont n'émergeraient plus que les sommets ? Non loin de la frontière chinoise, au sud-est de Hanoï, la baie n'a pas besoin de sa légende pour séduire. Plus de 2 000 rochers aux formes verticales surgissent en effet des flots, couverts de végétation et souvent creusés de grottes. Çà et là des pêcheurs vivent sur leur bateau ou dans des maisons sur l'eau. Les reliefs si caractéristiques de la baie sont d'origine karstique, issus à la fin de l'ère primaire d'un socle calcaire profondément érodé par des affluents du Fleuve Rouge, par les vents et la mer.

Les rizières de Yuanyang

Au sud-est de la Chine, le flanc des montagnes
est comme scarifié, strié de talus limitant des bassins en terrasse
qui deviennent, selon les saisons, miroirs éblouissants
ou tapis de verdure.

Depuis des siècles, les Hani, ethnie conservant ses traditions ancestrales, ont patiemment métamorphosé ce paysage en créant un maillage qui semble suivre les courbes de niveau à près de 1 800 m d'altitude. Retenant des eaux apportées par des conduits de bambou, les levées de terre forment ce que les paysans nomment eux-mêmes les « miroirs du ciel », ces terrasses irriguées dont la culture les fait vivre. Collectif, ce travail est un acte social fort. Ainsi, chaque village délègue un représentant au conseil chargé de répartir les eaux de terrasse en terrasse et entre chaque cultivateur. Et lorsque des jeunes se marient, ils reçoivent une rizière nouvellement établie pour eux, augmentant la surface plantée et perpétuant la tradition de la riziculture.

La Dune rose de Koima

Rose, comme ailleurs il en est des blanches ou des jaunes :
voici une immense dune formant lisière au sud du Sahara,
obstacle à une improbable rencontre entre le désert
et la chétive végétation du Sahel.

Peu après Gao, au Mali, le long fleuve Niger décrit
une vaste courbe par laquelle il semble renoncer à
l'immense désert saharien qui s'étend devant lui.
Comme hésitant, il le côtoie un moment, avant de
s'en retourner vers le sud. Au creux de cette vaste
boucle, il s'ourle du vert des zones fertiles où pousse
le bourgou, herbe à fourrage, tandis qu'un peu plus
loin les premières dunes l'observent et le repoussent.
Parmi elles, la Dune rose annonce la couleur :
un cordon long de 300 km de sable qui joue les
barrières protégeant l'infini du désert.

Ayers Rock

*Montagne sacrée pour les aborigènes, qui le nomment Uluru,
le second plus grand monolithe du monde surgit du sol de manière
fantastique au cœur de l'Australie.*

À une trentaine de kilomètres des Olgas, autres gigantesques rocs dressés là par la nature depuis 500 millions d'années, l'Ayers Rock porte le nom d'un ministre australien du XIXe siècle. C'est une énorme masse de grès incrusté de feldspath et d'oxyde de fer, minéraux qui contribuent à ses changements de couleur célèbres se révélant surtout au lever et au coucher du soleil. Haut de 348 m, long de 2.5 km, il a une circonférence de 9.5 km et abrite des sources, des mares, des grottes ornées de peintures préhistoriques par les aborigènes. Ces derniers le considèrent comme un temple, le dieu serpent Arc-en-Ciel Yurlungur résidant dans un des lacs du sommet. Par respect pour ces traditions, Uluru est à nouveau le nom officiel de la montagne dont l'ascension est considérée comme sacrilège.

La mer de Glace

D'année en année, le glacier se réduit. Combien de générations admireront-elles encore cette ample coulée blanche conduisant le regard vers les plus hauts sommets des Alpes ?

Le développement de l'alpinisme et du tourisme a magnifié, au XIXᵉ siècle, la vallée de Chamonix et la mer de Glace, le plus grand glacier du massif alpin, long de 14 km, à l'est de la ville de Chamonix. Après que son front a longtemps reculé, le glacier avance à nouveau lentement depuis 1975, ne cessant de déposer sur ses flancs des amas de moraines. Plusieurs accès en permettent la découverte, mais le glacier se révèle le mieux dans toute son ampleur et toute sa splendeur, vu de haut et cerné de sommets altiers, depuis le belvédère du Montenvers.

La tour Eiffel

L'ingénieur Gustave Eiffel imaginait-il que sa tour allait conquérir le monde pour être l'emblème de Paris et, sans doute, le monument le plus illustre de la Planète ? Il voulait qu'elle manifeste les audaces de la technique pour l'Exposition universelle de 1889.

Sur la rive gauche de la Seine, le chantier commence en juillet 1887, et suscite maintes critiques ; il s'achève 21 mois plus tard, et le succès de la tour est immédiat : 2 millions de visiteurs pendant l'exposition de 1889, 6,4 millions de visiteurs en 2005 ! Entre ces dates la tour aura changé : ses 18 000 pièces et 2 500 000 rivets auront été repeints 18 fois (60 t de peinture à chaque fois…). L'éclairage sera plusieurs fois modifié, jusqu'aux 20 000 flashes qui clignotent depuis 2000. Mais la tour n'est pas qu'une attraction : elle est le support d'antennes de télévision et de télécommunication qui portent sa hauteur à 324 m, et le lieu de relevés scientifiques.

Le pont d'Avignon

*On ne chante ni ne danse guère sur ce morceau de pont
un peu perdu dans les eaux du Rhône. Mais sans lui,
Avignon ne serait plus Avignon…*

Des bases romaines en pierre ont servi d'assise au
premier pont d'Avignon, construit en bois à partir
de 1177 à l'initiative de Bénézet, qui y trouvera
occasion de sainteté. Il a été reconstruit en pierre au
XIIIᵉ siècle, étant alors long de 850 m et comportant
22 arches. Deux ouvrages défensifs en protégeaient
l'accès. S'il ne reste plus aujourd'hui que quatre
arches, c'est que l'ouvrage commença à avoir peine
à résister aux crues du Rhône lorsqu'il fut affaibli
par l'établissement de dégorgeoirs ; au XVIᵉ siècle,
on l'abandonna, et la force des eaux acheva de le
démanteler au fil du temps.

Le palais des Papes

Forteresse ou palais ? Le Moyen Âge va bientôt finir et semble ne pas pouvoir choisir, dans cette résidence papale où les pontifes doivent se protéger tout en menant une vie de cour qui fait de la ville une cité brillante.

Depuis 1274, le pays d'Avignon est possession des papes. Mais ce n'est qu'en 1307 que Clément V s'y installe, son successeur Jean XXII se fixant dans la ville même. Après lui, Benoît XII entreprend en 1336 la construction d'un palais, dit aujourd'hui Palais vieux, d'une austérité toute cistercienne. Plus ample et fastueux, le Palais neuf est dû à Clément VI, dans les années 1340. Immense et aujourd'hui un peu vide, l'ensemble s'ordonne autour d'une cour de 1 800 m² et témoigne d'une architecture gothique à la fois civile et militaire.

La forêt amazonienne

*La sensibilisation à la déforestation en Amazonie ne fait
ue s'amplifier ; mais elle ne suffit pas encore à remettre en cause
un processus qui menace des équilibres essentiels de la Planète.*

Majoritairement sur le territoire du Brésil, la plus
vaste forêt du monde (plus de 7 millions de km²)
s'étend aussi en Équateur, en Colombie, au Venezuela, en Guyane, au Surinam, en Bolivie et
jusqu'au Pérou. Elle constitue un milieu naturel
d'une exceptionnelle richesse écologique, avec plus
de 2 500 essences d'arbres, 1 300 espèces de poissons, 60 000 espèces de plantes supérieures, 1 000
espèces d'oiseaux, plus de 300 espèces de mammi-
fères... La déforestation s'y pratique au profit de
vastes zones de cultures, et aussi d'une exploitation
forestière brutale et souvent illégale ; les richesses
du sous-sol suscitent aussi les convoitises, tout cela
sans aucun respect des populations indigènes et de
leurs modes de vie.

Le volcan Kilauea

Dans les vapeurs et les fumées, une main de feu jaillit d'un sol de cendres, menace venue des entrailles de la Terre en jouant d'un contraste de couleurs que n'oserait aucun peintre.

Émergée il y a un million d'années, l'île d'Hawaii est la plus vaste et la plus récente des îles d'un archipel où l'on compte plus de 100 volcans. Le Kilauea est apparu à l'extrémité orientale de l'île il y a environ 200 000 ans. Il couvre une superficie de 1 500 km² et son immense cratère, formé en partie par effondrement, atteint 3,7 km de diamètre. Il est en éruption continue depuis 1983, laissant couler des laves très fluides jusque dans la mer et lançant parfois, comme ici, des fontaines de lave, ou bulles, hautes de plusieurs centaines de mètres.

La mosquée de Cordoue

*Une forêt de colonnes et d'arcs polychromes suffit
à couper le souffle, sans que la cathédrale Renaissance
plantée au milieu ne parvienne à altérer l'impression
d'immensité de la mosquée.*

Du VIIIe au XVe siècle, la présence musulmane en
Espagne vit éclore en al-Andalus – au-delà même
des seules limites de l'Andalousie –, une civilisation
brillante où régna longtemps un rare esprit de tolé-
rance. À Cordoue, Abd-ar-Rahman Ier entreprit en
785 la construction d'une mosquée qu'il voulut
vaste et magnifique. Des colonnes de marbre prove-
nant de monuments anciens détruits, romains et
wisigothiques, y déterminent 11 nefs, de 12 travées
chacune. Ses successeurs agrandirent plusieurs fois
cette « forêt de pierre », rendue visuellement légère
par l'utilisation d'arcs doubles superposés en brique
et pierre blanche, jusqu'à faire de la mosquée de
Cordoue l'une des plus vastes du monde, couvrant
23 000 m². Au XVIe siècle, cet ensemble fut éventré
en son centre pour y élever la cathédrale.

Le mont Mc Kinley

« Le roi », Denali en inuit : tel est le nom de ce mont,
le point culminant de l'Amérique du Nord
à qui les Américains ont attribué le patronyme
d'un président des États-Unis.

Superbe dans sa grandeur et sa majesté, le mont Mc Kinley veille, du haut de ses 6 194 m sur un parc national couvrant le centre de l'Alaska. Fait de volcans, de rocs, de neige et de glace, le territoire a été vendu en 1867 aux États-Unis par la Russie, qui ignorait alors ses ressources pétrolières… Le sommet est un « must » de l'alpinisme, certaines voies d'accès offrant un dénivelé supérieur à 5 000 m et les camps de base n'étant le plus souvent accessibles que par des avions se posant sur un glacier. Plus bas, des marécages et des rivières rendent l'accès extrêmement difficile. Riche d'une faune très variée, le parc de Denali est classé depuis 1976 en tant que réserve internationale de la biosphère.

La pyramide de Chichén Itza

Ville sacrée, Chichén Itza était l'une des plus importantes cités mayas de la péninsule du Yucatán. Elle étonne aujourd'hui par son ampleur et son état de conservation.

Sur 300 ha sont conservés de nombreux monuments de la cité : temples, observatoire, aire de jeux sacrés, portiques, terrasses et pyramides. Chichén Itza fut prospère entre les VIIe et IXe siècles, puis à nouveau avec les Toltèques venus du centre du Mexique au siècle suivant. La pyramide d'El Castillo, pyramide à terrasses haute de 24 m, date du VIIIe siècle et fut modifiée par les Toltèques qui intégrèrent à son décor sculpté des thèmes de leur propre mythologie. Les escaliers de chacune de ses faces sont orientés vers les quatre points cardinaux, et elle est parfois interprétée comme un gigantesque calendrier ; on y compte en tout 365 marches… Au sommet, un temple est dédié à Kukulcán, le serpent à plumes, très importante divinité toltèque.

L'Antarctique

Continent méconnu, l'Antarctique entoure le pôle Sud
d'une énorme couverture de glace. Un traité lui accorde
un statut particulier, celui d'un domaine international
voué à la recherche scientifique.

Pour les navigateurs des XVIᵉ au XVIIIᵉ siècle, ce n'était qu'un ensemble d'îles de brume et de glace. À peine abordé par le capitaine Cook au XVIIIᵉ siècle, l'Antarctique sera vraiment exploré à partir de 1840, avec l'expédition de Dumont d'Urville. Dès lors se succèdent explorations et revendications territoriales ; en 1959, un traité répartit la souveraineté entre les États ayant mené ou menant des recherches scientifiques sur ce continent de 13,9 millions de km², où la seule population est constituée de manchots et de chercheurs… L'Antarctique est divisé par une chaîne de montagne de 2 500 km de long qui culmine à 4 897 m ; on estime l'inlandsis, la masse de glace recouvrant la majeure partie du continent, à 30 millions de km³ ! On a noté en Antarctique la plus basse température jamais relevée : -89 °C.

Ouadane

Au pas lent des caravanes s'est construite la mythologie
des grandes méharées. Après les longues journées
de marche solitaire, on imagine ce que devaient être
les retrouvailles dans la ville étape !

Ouadane est l'une des villes ponctuant les grandes
routes sahariennes qui furent fortifiées au XIIe siècle,
et l'un des lieux de contact entre l'Afrique maghré-
bine et l'Afrique noire qui jouèrent un rôle considérable du Moyen Âge aux temps modernes. Mais son
importance n'était pas que marchande : les échanges étaient aussi de nature intellectuelle et religieuse
et l'on disait pouvoir y trouver « quarante savants
par rue » ! Comptoir portugais en 1487, la ville
mauritanienne a conservé son tissu urbain médiéval, fait de ruelles resserrées autour du minaret de
sa mosquée. Dans les bibliothèques de ses madrasas
dorment près de 40 000 manuscrits anciens.

Le mont Rushmore

Terre sacrée pour les Indiens Lakotas, proie des chercheurs d'or,
la région des Black Hills est devenue un haut lieu
de l'histoire américaine.

C'est de 1927 à 1941 qu'ont été sculptées, dans une falaise des Montagnes noires culminant à 1 740 m d'altitude, les portraits géants de quatre présidents des États-Unis, les « pères fondateurs » : Washington, le premier président, Jefferson, Roosevelt, président de 1901 à 1909 et prix Nobel de la paix, Lincoln, dont la décision d'abolir l'esclavage entraîna la guerre de Sécession. On comprend que le mont soit parfois nommé « Sanctuaire de la démocratie » et soit cher au cœur des citoyens, mais pas à celui des Indiens Sioux que ces présidents contribuèrent à exterminer. Taillés dans le granit par un ancien élève de Rodin, les visages de 18 m de haut ont été popularisés par le cinéma : la scène finale de *La Mort aux trousses*, d'Alfred Hitchcock, où Cary Grant s'y réfugie, est inoubliable.

La cathédrale de Brasilia

De 1956 à 1960, une volonté politique a rencontré les talents
d'un urbaniste et d'un architecte pour faire surgir
de nulle part la nouvelle capitale administrative du Brésil.

On doit à Oscar Niemeyer les édifices emblématiques de la ville, le palais de la Présidence, le
Congrès, le Tribunal suprême, des ministères et la
cathédrale. Commencée en 1959 et inaugurée en
1967, la ville compte aujourd'hui plus de deux
millions d'habitants. Sa cathédrale se présente
comme une couronne formée d'arcs de béton verticaux se resserrant vers le haut pour s'ouvrir vers le
ciel comme dans un geste d'offrande et faisant en
quelque sorte office de piliers. Entre ces arcs, de
grandes surfaces de vitraux blancs, verts et surtout
bleus éclairent l'intérieur de la cathédrale, en partie
en dessous du niveau du sol. Sous les verrières, trois
anges suspendus animent l'espace et soulignent la
légèreté d'un édifice pouvant cependant accueillir
plusieurs milliers de fidèles.

Les grottes de Jeita

Le paysage des montagnes libanaises est celui d'une végétation orientale dense et fleurie. Il ne laisse pas présager l'univers souterrain féerique des grottes qu'il recouvre.

À 25 km de Beyrouth, dans la vallée de Nahr el-Kalb, le sous-sol calcaire est creusé d'un important réseau de grottes étagées sur plusieurs niveaux. Progressivement découvertes à partir de 1836, ces grottes de Jeita, pas encore entièrement explorées, comptent au moins 8 km de galeries. Une rivière souterraine coule en partie dans une galerie inférieure ; plus haut, la galerie supérieure n'a été découverte qu'en 1958. Phénomène rare, on constate entre les deux une différence de température de 6°C. On trouve dans les grottes de Jeita des salles « plus hautes que des cathédrales », et des concrétions parmi les plus hautes du monde.

La casa Battlo

L'architecte catalan Antonio Gaudí, né en 1852, a laissé dans
sa région une œuvre architecturale littéralement extraordinaire.
Elle manifeste parfaitement l'essor artistique et culturel
de Barcelone au tournant des XIXe et XXe siècles.

Sur l'une des avenues prestigieuses du centre de
Barcelone, le paseig de Gracia, Gaudí a construit
deux immeubles très représentatifs de son style,
dont, en 1904-1906, la casa Battlo, à la façade
incrustée de fragments de céramique. On y trouve les
traits caractéristiques des œuvres de l'architecte :
irrégularité des formes, courbes souples inspirées
d'éléments organiques, maîtrise de la lumière, goût
pour la couleur et l'ornementation, notamment en
fer forgé. À l'intérieur de cette maison que l'éclairage nocturne rend plus étrange encore, on retrouve
un souci du confort le plus moderne qui est aussi
propre à Gaudí.

Le Cervin

Étroite pyramide dominant Zermatt, isolé dans une orgueilleuse position, le Cervin – Matterhorn en allemand – est l'un des plus majestueux sommets des Alpes.

Avec quatre pentes d'une régularité presque parfaite, le Cervin lance ses arêtes de roc jusqu'à 4 478 m d'altitude au-dessus de la Suisse. Il est l'un des sommets mythiques de l'alpinisme, depuis sa première ascension par le Britannique Edward Whymper, en 1865, marquée par plusieurs accidents mortels à la descente. Sa face nord ne sera vaincue qu'en 1931, et bien des ascensions seront tragiques, mortelles pour plusieurs guides ou alpinistes. D'autres en feront un défi renouvelé : un guide suisse a réalisé 371 fois l'ascension, dont la dernière à l'âge de 90 ans…

Le Ponte Vecchio

Le fleuve qui irrigue Florence n'est pas qu'un attrayant élément de son décor ; sa crue dramatique de 1966 endommagea plusieurs monuments. D'autres se sont produites depuis, rappelant que la nature peut menacer le plus précieux des patrimoines.

La ville des Médicis s'est développée dans le cadre enchanteur des collines toscanes sur les rives de l'Arno. Le célèbre Ponte Vecchio enjambe le fleuve ; comme autrefois, il est couvert d'échoppes surmontées d'une galerie. Glissant entre les maisons et au-dessus des rues, celle-ci relie sans interruption le palais des Offices – les bureaux de l'administration des Médicis devenus aujourd'hui un prestigieux musée de peinture – et le palais Pitti. Ce dernier est le « nouveau » palais, construit au goût du jour en 1450 et acheté un siècle plus tard par les Médicis lassés sans doute de leur vieille forteresse médiévale, le palazzo Vecchio. Ainsi, grâce au pont et à sa galerie, les secrets des affaires étaient-ils bien gardés...

Florence

*Des dômes, des tours et des campaniles, des terrasses de palais
et des toits de couvents, dans une couronne de collines
verdoyantes : le site admirable de Florence annonce les richesses
de la capitale de la Renaissance italienne.*

Ville romaine sur les rives de l'Arno, Florence
connaît un essor formidable à partir de la fin du
Moyen Âge, lorsque son aristocratie et sa bourgeoi-
sie marchande, comme les Médicis, consacrent une
partie de leur richesse au mécénat. Églises, palais,
villas des environs sont le support des œuvres d'artistes exceptionnels, témoins d'un monde nouveau.
La ville devient un prolifique centre artistique où
prend forme la Renaissance. Grâce à cela, les plus
grands artistes y trouvent le creuset où leur talent va
s'épanouir et d'où il va rayonner sur tout l'Occident.
Giotto, Donatello, Fra Angelico, Botticelli, Léonard
de Vinci ou Michel-Ange deviennent des noms indis-
solublement associés à Florence, faisant oublier les
rivalités ou complots, le quotidien de sa politique.

La cathédrale de Sienne

*Comme pour se distinguer de l'ocre rose, doré par le soleil,
qui est la couleur générale de la ville, la cathédrale de Sienne
– le Duomo – s'impose par son marbre blanc strié
de bandes de pierres vert foncé.*

Toute d'équilibre et d'harmonie, Sienne, comme
Florence, a vu éclore la révolution artistique de la
Renaissance italienne, ses peintres, sculpteurs et
architectes se détachant peu à peu des normes
médiévales. Grâce à de riches mécènes et donateurs,
la cathédrale est un bel exemple de ce phénomène.
De structure gothique, elle a été commencée au
XIIIe siècle et achevée à la fin du siècle suivant, mais
son magnifique campanile, plus ancien, est roman.
Giovanni Pisano a été le principal maître d'œuvre
de l'édifice, dont le riche pavement répond à la
polychromie des murs. Fresques, peintures, mobilier font du Duomo de Sienne une incontournable
étape de l'histoire de l'art.

27 février

Abou Simbel

*Entre 1960 et 1980, un gigantesque chantier a déplacé
deux illustres temples de l'Égypte antique.
Le lac Nasser, créé par l'édification du barrage d'Assouan sur le Nil,
allait les submerger. La célébrité d'Abou Simbel
en était encore grandie.*

Là même où la crue annuelle du Nil pénètre en
Égypte, Ramsès II fit creuser deux temples dans des
falaises de grès, entre 1294 et 1224 av. J.-C. Le
Grand temple lui était consacré, le Petit temple, que
l'on voit ici, l'était à son épouse Néfertari. Associé à
diverses divinités, le couple l'était aussi au phénomène apportant la prospérité au pays, la crue. Les
façades monumentales donnent accès à des salles à
colonnes taillées dans le roc, ornées de bas-reliefs et
de hiéroglyphes. Elles sont rythmées par quatre
figures monumentales de Ramsès II, hautes de
20 m, dans un cas, et six de Néfertari, hautes de
10 m, dans l'autre. Oubliés et ensablés durant des
siècles, les temples ont été découpés, détachés de
la montagne, transportés et reconstruits dans des
falaises artificielles au-dessus du niveau du lac.

Le lac multicolore
du parc naturel de Jiuzhaigou

Les couleurs de l'automne apportent aux reflets des lacs
les nuances les plus subtiles ; mais au printemps,
alors que les neiges sont en train de fondre,
leur limpidité est plus extraordinaire encore.

Au nord de la province chinoise du Sichuan, la haute vallée du Jiuzhaigou est habitée par des Tibétains. On la nomme vallée des Neuf hameaux, mais elle pourrait s'appeler aussi vallée des soixante-douze lacs. Le relief karstique y a en effet établi autant de plans d'eaux qui communiquent entre eux par des cascades et des chutes qui se succèdent sur des kilomètres. Les eaux y sont d'une pureté telle que l'on distingue à l'œil nu des fonds parfois profonds de 30 m et dont la diversité se manifeste en surface par une riche palette de reflets. Une faune et une flore exceptionnelles bénéficient de ce cadre naturel unique ; on trouve entre autres dans ce parc naturel une très vaste réserve de pandas géants.

La mosquée de Djenné

Au long des méandres du fleuve Niger se rencontrent Sahara et Sahel ; à Djenné, les formes audacieuses du plus vaste édifice en terre crue existant au monde signalent une ville comptoir attestée dès 250 av. J.-C.

Caravanes chamelières ou premiers convois motorisés de l'époque coloniale ont fait de Djenné, au Mali, une ville étape prospère. D'autant que la navigation sur le Niger apportait sa part à un commerce qui culmina au XVIe siècle. Djenné fut aussi un centre de diffusion de l'islam, après la conversion du roi local, sans doute au XIIe siècle. Alors fut édifiée la première mosquée, sans cesse restaurée après les dégâts dus à l'érosion des pluies. Car tel est le sort des fragiles architectures en terre crue, appelée ici *banco*. L'édifice actuel, monumental et où 90 colonnes soutiennent la salle de prière, a été en grande partie reconstruit en 1909 sur un plan plus ancien.

Le château du Haut-Koenigsbourg

Dans la solide fierté de ses murs et de ses tours de grès rouge,
ce nid d'aigle contrôlant la plaine d'Alsace a retrouvé
au XIXe siècle les traits d'un modèle de château fort médiéval.

En 1871, la France a perdu l'Alsace, intégrée à l'empire de Guillaume II. Désireux de souligner le caractère germanique de la région, l'empereur décide la restauration du Haut-Koenigsbourg, qui domine la plaine et la ville de Sélestat depuis le XIIe siècle, mais n'est plus alors que ruines. Son architecte, Bodo Ebhardt, attaque le chantier en 1900, faisant de la forteresse un modèle pédagogique du château fort médiéval revu dans le goût postromantique de l'époque. Enceintes et tours, cours haute et basse, logis et chapelle, cachots et souterrains, tout y est, avec une force évocatrice étonnante que le cinéma a souvent utilisée.

Les dunes de l'erg Amatlich

L'océan des dunes apparaît dans toute sa rudesse.
Même plus un acacia rabougri ; du sable, rien que du sable.
Mais des jeux de formes et de couleurs inoubliables.

Issus d'une érosion immémoriale, les sables qui se
prêtent ici aux sculptures du vent sont de couleurs
variées. Ainsi, aux ondulations sans fin plus ou
moins resserrées, plus ou moins amples, s'ajoute la
gamme des blancs, des ocre, des orangés. Curieuse-
ment, les vents ne se mélangent pas, et les sables
issus de roches de différentes couleurs se redéposent
en formant des dunes de couleurs pures : d'un blanc
éclatant, éblouissant, ici ; ocre ailleurs ; franche-
ment jaune ou légèrement rosé… L'un des intérêts
de l'erg Amatlich est d'offrir cette gamme de
couleurs dans l'immensité sans fin de ses dunes.

Dans la chaîne de l'Atlas

Dans une superbe harmonie tachetée de vert,
les couleurs des villages se fondent
avec celles des montagnes marocaines.
Souvent, sur les sommets,
un tapis de neige ourle l'horizon.

La fraîcheur peut surprendre ; en hiver, la neige aussi. Rapidement, on passe des plaines présahariennes aux vallées et aux sommets du Haut Atlas, la partie la plus élevée de ce puissant massif qui structure, sur près de 2 000 km, l'ensemble du Maghreb. Son point culminant, à 4 165 m d'altitude, est dans la partie marocaine de la chaîne, celle qui ferme au lointain l'horizon de Marrakech. Le Haut Atlas est un pays berbère, où éleveurs et agriculteurs sont attachés aux traditions de leur peuple. Ils vivent dans des villages accrochés aux pentes, où les maisons sont serrées les unes contre les autres, tandis que les cultures se font en terrasse ou dans le fond des vallées, naturellement irriguées.

Paris et Notre-Dame

Sur une île en forme de navire, la cathédrale de Paris est comme la vigie de la cité. Elle en manifeste le passé et la foi, et sa flèche est comme l'axe à partir duquel s'organise toute la capitale.

Comme escortée par l'île Saint-Louis, dont les façades conduisent vers elle, la cathédrale Notre-Dame de Paris est un joyau de l'art gothique. Voulue par l'évêque Maurice de Sully en 1160 pour remplacer deux églises plus anciennes, elle est achevée vers 1330. Altérée à l'âge classique puis à la Révolution, Notre-Dame retrouve sa splendeur médiévale grâce à la restauration de Viollet-le-Duc, au XIXe siècle. Par la statuaire de ses portails, ses vitraux, son mobilier, autant que par son architecture et son histoire confondue avec celle de la France depuis le Moyen Âge, Notre-Dame de Paris mérite bien la foule des admirateurs qui ne cessent de s'y presser. Souvent, ils commencent ici leur découverte de Paris, retrouvant le vrai cœur de la ville médiévale.

Le pont du Gard

Dans le paysage aride de la vallée du Gardon, paysage fait pour être écrasé de soleil et manifester la rude beauté d'une terre méditerranéenne, le génie des Romains a tracé un trait de pierre d'une majestueuse élégance : le pont du Gard.

Long de 275 m à son sommet, atteignant presque 50 m de hauteur, le pont du Gard est formé de trois étages d'arcades. Le solide appareil d'énormes blocs de pierre pesant parfois jusqu'à 6 tonnes ne se réduit qu'au plus haut étage, celui des petites arcades. Elles portent un tronçon de l'aqueduc établi au début de notre ère pour alimenter en eau la ville de Nîmes, distante d'une vingtaine de kilomètres à vol d'oiseau. L'aqueduc franchit ainsi le cours d'une rivière qui, en crue, peut devenir furieuse ; pour mieux résister alors à la poussée des eaux du Gardon, le pont est légèrement convexe vers l'amont.

L'église
Saint-Jean-Népomucène

Bien loin de l'austérité cistercienne, voici un joyau du baroque tchèque, une église de pèlerinage emblématique de la spiritualité du XVIIIe siècle en Europe centrale.

En 1252, un monastère cistercien est fondé dans une forêt impénétrable à la frontière tchèque et morave. Sa solitude n'aura qu'un temps : auprès de lui se développe la bourgade de Zdar nad Sagavou, qui deviendra le fief de l'une des plus grandes familles tchèques, les Kinsky. Au XVIIIe siècle, le monastère reçoit les reliques de saint Jean Népomucène et connaît alors son apogée. Il est reconstruit, comme presque toute la localité, et une église de pèlerinage est bâtie sur la colline Sainte-Hélène (Zelena Hora) par l'architecte Santini, un maître du baroque. Entourée de constructions basses disposées en couronne, l'église est conçue sur le module de l'étoile à cinq branches, en référence à la tradition voulant qu'une telle étoile soit apparue au moment de la mort du saint, martyr noyé dans les eaux de la Vltava, la Moldau.

Le château de Versailles

D'un simple relais de chasse, la volonté royale fait
le plus grandiose palais du monde ; seul un parc splendide
peut lui servir d'écrin : l'ensemble est à la hauteur d'un roi
dont le rayonnement ne peut se comparer
qu'à celui du soleil.

Louis XIV, le Roi-Soleil : si on ne le sait, son palais de Versailles va le montrer. Ce qu'il y a de plus beau, ce qu'il y a de plus grand, seul cela est digne de lui. Même agrandi par l'architecte Le Vau, le pavillon de chasse construit par son père Louis XIII est trop modeste pour Louis XIV. À partir de 1668, le château devient pour des années un vaste chantier. Dix ans plus tard, Versailles est résidence royale officielle ; Jules Hardouin-Mansart dirige les travaux, et on inaugure la galerie des Glaces. Jusqu'à la Révolution, sous Louis XV et Louis XVI, le château ne cessera d'être embelli, devenant la référence de l'art français des XVIIe et XVIIIe siècles.

Le parc du château de Versailles

Par son ampleur et par son luxe, le château de Versailles appelait un décor grandiose : Le Nôtre sut jouer d'une nature recréée pour faire du parc un monde immense et merveilleux.

Architecte, peintre, André Le Nôtre (1613-1700) est confronté sur le chantier de Versailles à un domaine marécageux difficile à maîtriser. Il en fera pourtant, sur 815 ha, le plus vaste et prestigieux jardin « à la française », chef-d'œuvre du classicisme. D'une composition géométrique parfaitement ordonnée, l'ensemble se développe depuis le château de part et d'autre des 23 ha du Grand Canal, long de 1 650 m. Sur plusieurs niveaux, bassins et fontaines, parterres aux broderies de buis, sculptures végétales des bosquets, statues (plus de 400 !) révèlent sans cesse de nouvelles perspectives.

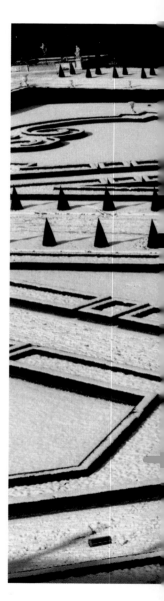

Un ancien cône volcanique

En Bolivie, les volcans culminent entre 4 000 et 5 000 m et s'inscrivent dans les immenses chaînes de la Cordillère des Andes, notamment à la frontière avec le Chili. Le point culminant du pays est lui-même un volcan.

Le soufre pour les jaunes, les oxydes de fer pour les rouges : ce volcan bolivien aux pentes raides éclairées par le soleil couchant organise sa palette en stries convergentes. Ces formes sont la conséquence de sa propre érosion par lui-même, les fumerolles d'éruptions successives attaquant les parois plus anciennes. Pour un observateur attentif, il n'y a pas deux volcans semblables, et les forces créatrices de la nature apparaissent bien là sans limites.

Le site maya d'Uxmal

Ampleur, puissance, mystère aussi, se dégagent
des grands sites mayas de la presqu'île du Yucatan. Uxmal, cité
religieuse, était l'un d'eux et compta jusqu'à 25 000 habitants.

Fondée avant 700, la ville d'Uxmal fut abandonnée
au Xe siècle, peut-être parce que prise alors par les
Toltèques. Elle s'ordonnait selon des schémas astronomiques autour d'un espace voué aux cérémonies
et dominé par la pyramide apparaissant ici derrière
un édifice à colonnade. Sans connaître sa fonction,
les Espagnols conquérant le Mexique nommèrent la
pyramide « du devin ». Plusieurs fois remaniée
depuis le VIe siècle, haute de 30 m, avec des angles
arrondis, on y voit des effigies du dieu Chac et du
Serpent cosmique dont la gueule sert d'entrée au
temple supérieur ; selon les Indiens, y passer était
mourir pour renaître à une vie nouvelle.

La Cappadoce

Des formes volcaniques étranges ;
un univers souterrain de sanctuaires rustiques ornés de peinture
il a bien des siècles ; des habitations en forme de grottes :
la Cappadoce ne cesse de surprendre.

Région volcanique de Turquie bouleversée il y a dix millions d'années, la Cappadoce a été géologiquement remodelée depuis par une érosion travaillant les masses de lave et de tuf de la croûte basaltique. Pluie et neige se sont infiltrées dans le sol, y ont creusé des vallées étroites et, surtout, avec l'aide de l'érosion éolienne, ont dégagé des cônes et des « cheminées des fées ». Les formes et les couleurs apportent ainsi une très forte originalité à cette région de l'Anatolie qui servit toujours de refuge. Important foyer chrétien à partir du IVe siècle, la Cappadoce a vu se développer monastères, ermitages et chapelles taillées dans le roc et ornées de fresques. Les habitations étaient elles-mêmes parfois creusées dans les roches tendres. Ainsi la géologie et le travail des hommes ont participé à créer l'étrangeté de la contrée.

La tour de Pise

La tour de Pise serait-elle aussi célèbre
si elle n'était pas penchée ? L'audace et la beauté de
son architecture justifient à l'évidence son succès.

La construction du campanile de la cathédrale de
Pise, en marbre blanc de Carrare, commença en
1173 pour s'achever, après plusieurs interruptions,
deux cents ans plus tard. Mais on lui conserva son
beau style roman toscan d'origine, tout de légèreté.
C'est pendant la construction que la tour, haute de
54,5 m, se mit à pencher. Son inclinaison, estimée à
1,47° au XIVᵉ siècle, atteignait plus de 5° en 1990,
lorsque l'accès de la tour fut interdit. D'importants
et délicats travaux furent alors entrepris pour inter-
rompre son mouvement : une structure métallique
fut placée au centre de la tour et de profonds piliers
de béton remplacèrent un volume important d'argile sur lequel avaient été posées les 14 450 tonnes
du monument. On estime que sa stabilité est désormais assurée pour au moins un siècle…

Devil's Marble

*Dans un immense désert rougeoyant, l'érosion a sculpté
des billes gigantesques : les « billes du Diable »…*

Plus du tiers de la surface de l'Australie est quasi
désertique. Le vent y soulève la poussière, et poursuit avec une patience infinie un travail d'érosion
qui a commencé il y a des millénaires sur un vieux
socle granitique ou volcanique. Dans les territoires
du Nord, la Devil's Marble Conservation Reserve
présente des amoncellements rocheux d'où émergent des boules parfaitement sphériques. Elles
dépassent parfois 2 m de diamètre. Les aborigènes
y voient depuis toujours les billes du Diable…
Plus précisément, pour eux, ces rochers auraient
été déposés là par une importante divinité de
leur mythologie, le serpent Arc-en-Ciel ; d'autres
affirment qu'il s'agit des œufs du même serpent
sacré… Lorsque le couchant accentue la couleur
rouge de la pierre, le site prend un caractère fantastique qui justifie toutes les hypothèses.

Stonehenge

Des pierres levées sur la lande; un cercle mystérieux inscrit
dans des cycles du Soleil et de la Lune :
Stonehenge est propre à exciter l'imagination...

Non loin de la ville de Salisbury, au sud de l'Angleterre, les pierres levées de Stonehenge n'ont pas
encore livré tous leurs mystères. Une enceinte de
2 200 ans av. J.-C. riche en sépultures, un double cercle de pierres dressées entre 1700 et 1500 av. J.-C. ;
un autre cercle, enfin, le mieux conservé, formé de
trente pierres et postérieur d'environ un siècle, telles
sont les composantes de l'un des sanctuaires préhistoriques les plus célèbres du monde. Sanctuaire,
mais de quel culte ? De quel dieu ? La disposition
des pierres en fait un monumental cadran solaire ;
était-ce un temple solaire ? Un observatoire astro-
nomique ? Autre mystère : pourquoi avoir apporté
des pierres depuis de lointaines carrières du pays de
Galles ? Lieu de rassemblement, sans aucun doute,
Stonehenge est aussi, pour certains, une base
d'accueil des extra-terrestres...

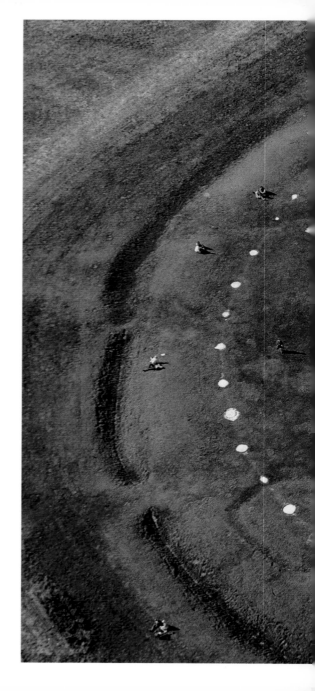

Un « pont de la pluie et du vent » à Baxi

*Merveilleux peuple ! Oserait-on en imaginer un semblable ?
Dans la province chinoise du Guangxi, les Dong
s'expriment en chantant !*

Répartis sur les trois provinces chinoises du Hunan,
de Guizhou et de Guangxi, les Dong vivent au
milieu des cultures et des rizières. Dans certaines
zones de leur territoire, les « ponts de la pluie et du
vent », ponts sacrés enjambant les rivières aux portes des villages sont très nombreux. Ils jouent un
rôle sacré et social important, puisque l'on y honore
les esprits du vent et de la pluie, protecteurs du
village, tout en servant de refuge aux voyageurs.
Ponts couverts édifiés en bois de sapin non chevillé
sur de solides bases de pierres sans mortier, ils
supportent en effet des pagodes richement décorées.
La communauté villageoise s'y retrouve pour le tri
des récoltes, mais aussi pour des fêtes où la danse et
le chant sont essentiels. Pour tous les actes importants
de la vie, les Dong s'expriment en effet en chantant.

Le Mississipi

*Le « père des eaux » – telle est la signification de son nom,
qui est indien – appartient à la mythologie américaine.
Au rythme des roues à aube des navires pratiquant son cours
inférieur, il rappelle à la mémoire le chant profond
des Noirs du Sud et les débuts du jazz.*

Prenant sa source au nord du Minnesota, le Mississipi est rejoint par l'Illinois, le Missouri et l'Ohio pour irriguer une grande partie des États-Unis. Après un cours de 3 780 km de longueur, il se jette dans le golfe du Mexique. Barrages et lacs de retenue rythment son cours supérieur, tandis que des digues tentent de le stabiliser dans son delta et de maîtriser ses crues parfois violentes sur son cours inférieur ; on se souvient encore de la tragédie de 1993. C'est en remontant le fleuve depuis son embouchure que les explorateurs français, prenant possession de la Louisiane au XVIIe siècle, fondèrent la Nouvelle-Orléans, 160 km en amont. Une fois la France dépossédée de ce territoire, le Mississipi devait servir de frontière entre les possessions anglaises et espagnoles.

La Mecque

Sous le pied d'Ismaël, fils d'Abraham, une source aurait jailli en ce coin perdu du désert arabique. Bien longtemps après, l'ange Gabriel y parla au prophète Mahomet.

La Mecque est située dans le désert, non loin de la mer Rouge, dans l'ouest de l'Arabie saoudite. Lieu où s'étaient fixées des tribus bédouines, c'est au VIe siècle un centre de commerce sur les routes de l'Orient et, déjà, un centre religieux. Après son exil à Médine (l'Hégire, « la migration », en 622), Mahomet y revient en 630. Aujourd'hui, la ville compte près d'un million d'habitants. Plus de deux millions de pèlerins s'y retrouvent chaque année pour le plus grand pèlerinage musulman. En priant, ils font sept fois le tour de la Kaaba, édifice cubique abritant une pierre noire qu'un ange aurait apportée à Abraham. Ce pèlerinage, là même où Mahomet aurait reçu le message de l'archange Gabriel – source de la religion islamique et du Coran – est l'un des cinq devoirs de tout croyant, qui doit l'accomplir au moins une fois dans sa vie.

La jungle cambodgienne

La jungle cambodgienne, c'est la végétation foisonnante, hostile au premier abord ; c'est la jungle des films et des bandes dessinées, des mystères et des dangers...

Toujours verte, la jungle cambodgienne recouvre les pentes humides et les cuvettes marécageuses du pays. Forêt tropicale dense où règne une chaleur moite, elle est un milieu naturel dont la biodiversité est exceptionnelle, même si la déforestation y va bon train. Dans cet univers ingrat, la faune, des tigres aux innombrables serpents, est aussi riche, diverse, mais aussi dangereuse que la flore ; et les hommes doivent sans cesse se battre contre la nature. Ils sont pourtant parvenus à développer là une civilisation brillante : c'est sous les fougères géantes, les lianes, les plantes proliférantes de la jungle tropicale assaillant les pierres que l'on a redécouvert, au XIXᵉ siècle, les célèbres et fastueux temples d'Angkor, joyaux de la culture khmère.

Le Kremlin

Derrière une enceinte de forteresse, trois cathédrales voisinent avec les centres de pouvoir de l'ex-URSS. Au cœur de Moscou, toute la Russie retrouve son histoire au Kremlin.

Le nom même du Kremlin évoque plus souvent les arcanes de la politique que les trésors d'art et d'histoire de cette ville dans la ville. La plupart des édifices du Kremlin, comme ses églises, ont été construits entre les XIVe et XVIIe siècles. Derrière des murailles rouges cantonnées de nombreuses tours, se mêlent palais de pierres blanches et églises aux clochers à bulbes dorés, dans la confusion d'un tracé de places et de rues issu du Moyen Âge. Les vestiges archéologiques les plus anciens ont été datés du XIe siècle, mais la forteresse fut reconstruite à partir du XVe siècle. L'édifice le plus récent date de l'ère Kroutchev : édifié pour abriter les séances du comité central du Parti communiste, il se trouve ainsi dans l'ombre de la cathédrale où pendant cinq siècles ont été couronnés les tsars… Contre le rempart s'appuie le mausolée de Lénine.

Le Forum et le Colisée de Rome

*Parce que tout l'Occident est un peu l'héritier
de la Rome antique, leurs ruines ne laissent jamais indifférent.*

Successeur de l'agora des Grecs, le forum est le foyer de la vie collective, citoyenne, de la ville romaine. À Rome, sur le même lieu, couvrant plusieurs hectares entre le mont Palatin et le Capitole, succèdent au premier *Forum Romanum* (VIIe siècle av. J.-C.) les forums de César, d'Auguste, de Vespasien, de Nerva et de Trajan. Ils ne cesseront de s'étendre, comportant toujours au moins le temple qui renferme le trésor de l'État, des lieux de parole publique (la tribune des Rostres), le sénat, des basiliques (salles de réunion), des galeries marchandes, des prisons, des arcs de triomphe. Abandonné au VIIIe siècle ap. J.-C., le forum de Rome sera détruit au XVIe siècle et servira alors de carrière pour des constructions de la Renaissance. En arrière-plan, le Colisée, datant de 70 ap. J.-C., a vu périr plus de 10 000 gladiateurs dans son arène.

Arches national Park

Audace et fragilité : l'érosion a œuvré durant des millénaires pour lancer des arches monumentales entre terre et ciel.

Dans le grand désert de l'Utah, Arches national Park est un « jeune » parc naturel des États-Unis, créé en 1971 sur 310 km² ; mais le site, lui, classé monument national en 1929, ne compte plus les années : il y a 150 millions d'années qu'a commencé le phénomène qui allait donner naissance aux constructions étonnantes que l'on y voit en grand nombre : près de 2 000 arches de pierre rouge ou ocre. Une mer se retirant, des sables se sont peu à peu solidifiés en grès, puis ont été progressivement érodés par les vents, les variations de températures, les pluies et quelques mouvements telluriques provoquant des effondrements. Sous un climat très aride où les contrastes thermiques sont très importants, des hommes ont vécu là il y a plus de 10 000 ans ; les Indiens Paiutes les remplacèrent ensuite, avant la désertification complète du territoire.

La Grand-Place de Bruxelles

Comme au temps de la prospérité des foires flamandes,
la Grand-Place de Bruxelles est toujours animée.
Elle n'est jamais plus belle que lorsqu'un tapis de fleurs
la recouvre, valorisant l'architecture de ses maisons.

C'est au XIe siècle que fut établi, près du château à l'origine de la ville, un grand marché en plein air ; bientôt on y construisit une halle, puis peu à peu, à partir du XIIIe siècle, des maisons s'élevèrent autour. À compter du XVe siècle, la place devint celle où se concentrait la vie marchande et civique, là où, aussi, avaient lieu les exécutions capitales. À la suite de bombardements par les armées de Louis XIV, en 1695, la place est reconstruite ; elle sera restaurée après des dégâts causés par la Révolution française. De part et d'autre de l'hôtel de ville et de son beffroi, qui datent du XVe siècle, les somptueuses maisons sont souvent celles de confréries : les bateliers, archers, ébénistes et tonneliers, graissiers, boulangers, merciers, bouchers… Centre vivant de la ville, la place est toujours le cadre de nombreuses fêtes et manifestations.

Une aurore boréale

Phénomène naturel d'exception, l'aurore boréale fascine autant par sa rareté que par sa beauté.

Des « déchirures du ciel nocturne derrière lesquelles on voit des flammes » : ainsi Aristote définissait-il ce que Galilée, en 1619, nommera aurores boréales. Mais pour être plus exact, il faudrait les appeler « aurores polaires », le terme d'« aurore boréale » convenant dans l'hémisphère Nord et celui d'« aurore australe » dans l'hémisphère Sud. Au regard de l'homme, une aurore boréale apparaît comme un phénomène lumineux traçant dans la nuit comme des voiles colorés dans le ciel. Elles se produisent le plus souvent dans les zones des pôles magnétiques et sont dues à la rencontre de particules issues du soleil avec la haute atmosphère et captées par le champ magnétique terrestre. L'ionisation de ces particules forme, entre 20 et 1 000 km d'altitude, des « nuages », ou voiles, de formes diverses, ainsi que des émissions de lumière.

Le Kilimandjaro

Comme drapé dans un splendide isolement,
le mont Kilimandjaro veille sur la savane. Impassibles et dignes,
les éléphants semblent bénéficier de sa protection.

Le Kilimandjaro est le point culminant de l'Afrique ; son sommet atteint 5 895 m d'altitude. Situé en Tanzanie, il impose sa majesté sur la savane de l'Afrique de l'Est, et sert de décor à bien des safaris-photos. Bien visible depuis la Tanzanie mais aussi du Kenya voisin, le volcan n'est pas éteint : des fumerolles s'en échappent parfois, et on attribue à son activité, même discrète, une part de la fonte rapide des neiges et des glaciers de sa parure sommitale. On estime en effet que, sauf renversement de la tendance, la blancheur du sommet aura disparu en 2 020... Mais sans doute restera-t-il encore, pour le peuple des Masaïs qui vit à ses pieds, « la maison des dieux » ; une croyance que justifient pleinement et sa hauteur, et sa noblesse.

Le fjord Kanga

C'est de la masse glaciaire du Groenland que se détachent les plus gros icebergs de l'Arctique, quittant les fjords comme des navires éphémères quitteraient un port.

Les côtes du Groenland, qui est la seconde plus grande île du monde après l'Australie (2 800 000 km^2), sont entaillées par de très nombreux fjords. Le cœur de l'île, l'inlandsis, est une énorme masse de glace qui, à la fin de l'hiver, s'avance jusqu'aux côtes. C'est alors que s'en détachent les icebergs, énormes blocs qui, profitant de la fonte de la banquise, s'en vont dériver sur la mer. Au nord de l'île, le fjord Kanga est connu pour voir se détacher les plus gros icebergs de tout l'Arctique ; on dit que c'est l'un d'entre eux que heurta le *Titanic*… Le phénomène est impressionnant : une falaise de glace haute de 100 m rejoint la mer à la vitesse de 30 m par jour. Avec des bruits de craquements effrayants, les icebergs s'en séparent, commençant une longue aventure maritime où l'eau, les vents et les variations thermiques vont jouer les sculpteurs.

Queribus

Queribus est l'un des châteaux cathares où se réfugièrent
ces tenants d'une religion de l'extrême pureté ;
leur répression par le pouvoir royal de France visait aussi
la maîtrise des terres du Midi, celles de la langue d'oc.

Le nom de Queribus, forteresse médiévale plantée en nid d'aigle au-dessus du Roussillon et du vignoble des Corbières, à plus de 700 m d'altitude, est intimement associé à l'histoire tragique de la répression de l'hérésie cathare. Le château réputé imprenable fut, onze ans après celui de Montségur, le refuge des religieux et chevaliers cathares, défenseurs non seulement de leur foi, mais aussi de l'identité du pays d'Oc lors de la croisade des Albigeois. Mais en 1255, les armées françaises enlèvent le puissant donjon polygonal au cœur de la solide enceinte accrochée au rocher. Plusieurs fois renforcé, doté d'une triple enceinte, Queribus perdra pourtant de son importance stratégique à la fin du XVIIe siècle, avec la fixation définitive de la frontière franco-espagnole. Il reste que ses ruines, au-dessus du village de Cucugnan, ont toujours fière allure.

Forêt du Québec en automne

Sur les îles du Saint-Laurent comme dans tout le Québec, la fin de l'été et le début de l'automne – l'été indien – offre d'inoubliables couleurs d'or et de pourpre.

La forêt est comme l'élément naturel constitutif des paysages canadiens. Au Québec, elle couvre plus de 750 000 km², soit près de la moitié du territoire de la « belle province ». En fonction de la latitude et de l'altitude, le peuplement forestier est bien sûr différent. La couverture forestière du Québec se divise au moins en trois : la zone tempérée nordique, où les feuillus sont majoritaires ; la zone boréale, celles des conifères ; la zone arctique, avec une végétation arbustive et herbacée. La plus belle des forêts québécoise est la forêt des Laurentides, au sud, sur la vallée du Saint-Laurent, forêt mixte de conifères et de feuillus dans une magnifique région ponctuée de lacs et sillonnée de nombreuses rivières. Érables à sucre, érables rouges, bouleaux blancs, sapins et épinettes blanches y abondent.

La chaussée des géants
de Bussmills

Des empreintes surprenantes s'enfoncent dans la mer :
la légende rend compte d'un mystère de la nature ; la science,
elle, le nomme « chaussée des géants ».

Sur la côte d'Irlande du Nord, le plateau d'Antrim,
dans le comté du même nom, s'achève en falaise sur
la mer. Entre la paroi rocheuse et les flots, un
curieux assemblage minéral étonne : pas moins de
40 000 colonnes de sections hexagonales, tronquées,
de hauteur variable et serrées les unes contre les
autres comme inachevées dans une carrière. Qui est
l'auteur de ce surprenant jeu de construction ? La
légende attribue ce travail au géant Fionn mac
Cumhail (ou Finn McCool). Il l'aurait réalisé pour
se rendre en Écosse affronter un autre géant... Aux
yeux de la science, il s'agit bien d'une « chaussée de
géants », formation basaltique datant de 50 à
60 millions d'années due à l'érosion d'une ancienne
coulée de lave brusquement contractée lors de son
refroidissement, d'où sa fragmentation hexagonale.

Le jardin Shisendo

Jardins à l'esthétique réfléchie, les jardins japonais expriment une sagesse et une spiritualité venues du fond des âges. Tout petit, le jardin Shisendo ne déroge pas à la règle.

Au nord de la ville historique de Kyoto, près d'un vieux temple, le jardin Shisendo est un havre de paix propice à la méditation. Comme tout authentique jardin japonais, il est en effet beaucoup plus qu'une simple disposition d'arbres et de plantes. Tout y est soumis à des règles précises, traditionnelles et symboliques, qui font de l'espace – souvent, comme ici, très limité – un lieu spirituel fort. Les Japonais voient dans les jardins un microcosme où se rencontrent les réalités humaines et divines et où ils laissent libre cours à leur goût de la miniature. Auprès d'un petit bois, planté d'azalées, orné de sable blanc soigneusement ratissé, agrémenté d'une cascade, le jardin Shisendo était autrefois celui d'un ermitage dit « des poètes immortels », occupé par un poète célèbre du XVIIe siècle.

L'église Saint-Basile-le-Bienheureux

Bariolée jusqu'au plus haut de ses clochers pleins de fantaisie,
l'église Saint-Basile-le-Bienheureux est un peu l'emblème,
le monument phare de Moscou.

L'église Saint-Basile-le-Bienheureux est l'un des nombreux sanctuaires édifiés dans l'enceinte du Kremlin, ville dans la ville au cœur de Moscou. Entreprise à la demande d'Ivan le Terrible en 1561 pour commémorer la prise de Kazan, elle n'est achevée qu'en 1670, dressant alors ses clochers à bulbe au bord de ce qui deviendra la place Rouge. On raconte que le nombre de ses chapelles – huit à l'origine – est celui des victoires remportées par le monarque sur les Tatars. La diversité et la fantaisie de la décoration du monument – « recoloré » à son achèvement – sont pour beaucoup dans son attrait, mais ne font pas oublier la rigueur d'un plan en croix grecque avec chapelles dans les angles des bras. On raconte que le tsar, voulant éviter que l'architecte puisse réaliser ailleurs mieux que ce chef-d'œuvre, ne trouva pas d'autre moyen que de lui faire crever les yeux…

Le château de Hemaji

Le site n'est jamais plus beau que lorsque les cerisiers
sont en fleur. Alors la blancheur du château resplendit encore
plus sous les courbes gracieuses de ses toits.

Magnifique superposition de toits incurvés et de fron-
tons triangulaires, le château japonais de Hemaji, ou
Haakuro-jo, « château du héron blanc », est campé
sur une colline plantée de cerisiers au-dessus du gros
village homonyme, une cinquantaine de kilomètres
à l'ouest de Kobé. Remarquablement bien conservé,
il a été construit, en bois recouvert de plâtre, à la fin
du XIVe siècle, et plusieurs fois modifié depuis. Seuls
restent au Japon trois édifices de ce type et de cette
époque, aussi est-il considéré et visité comme l'un des
hauts lieux de l'histoire du pays. Au centre, la plus
haute tour, formant le corps principal de l'édifice,
s'élève à 46 m de haut et donne sa silhouette caractéristique à l'édifice qu'entoure un magnifique parc.
L'ensemble est souvent utilisé comme décor de films.

Le détroit et le pont d'Øresund

*La nature a séparé le Danemark et la Suède
par ce détroit maritime ; les hommes ont relié les deux pays
par un très original et très bel ouvrage d'art.*

Øresund est le nom du détroit long d'une bonne centaine de kilomètres et large de 3 à plus de 40 kilomètres, qui relie la mer du Nord et la mer Baltique et sépare le Danemark de la Suède. Il ne les sépare plus vraiment, puisque l'on a construit en 2000 un audacieux ouvrage reliant Copenhague, au Danemark, et Malmö, en Suède. Par la faiblesse de ses fonds – parfois moins de 10 m – le détroit a toujours été dangereux pour la navigation, mais toujours très fréquenté. Cette faible profondeur présente cependant un avantage écologique : elle limite les échanges entre les eaux des deux mers. Quant au pont, il n'est que la partie visible d'une liaison à la fois autoroutière et ferroviaire de 16 km de long, complétée par un tunnel immergé (et non pas creusé) de 3,7 km et par une île artificielle longue de 4 km.

Photoksar

*La grandeur des vallées himalayennes rend minuscules
les créations humaines. Et lorsque les éléments s'en mêlent,
les paysages apparaissent transcendés par des forces secrètes.*

Le cadre naturel grandiose du Ladakh donne à tous
les phénomènes naturels une ampleur, une force
inégalée. À 4 200 m, Photoksar est un village tout
simple qui comporte cependant deux monastères,
mais bénéficie surtout d'une situation remarquable.
Le village est planté sur l'extrême rebord d'un petit
plateau cultivé, dominé par les pentes dénudées des
montagnes. Juste sous les maisons, c'est l'à-pic des
falaises descendant au plus profond de la vallée. On
imagine le fracas d'un orage résonnant dans un tel
site, ou les jeux de nuages et de brouillard qui transforment le paysage en associant d'inattendues couleurs de ciel à la palette des sommets et des vallées.

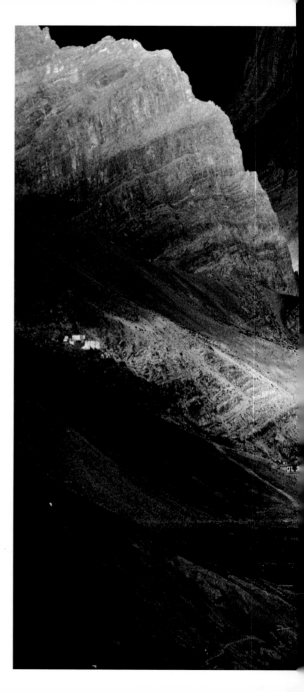

Le plateau du Tamrit

Cathédrales de pierre, masses impressionnantes, décor fantastique ne sont pas les seules ressources du Tassili n'Ajjer. Non seulement les paysages grandioses recèlent d'émouvantes peintures rupestres, mais ils surprennent aussi par la végétation que l'on y trouve.

En effet, les reliefs tourmentés des plateaux sont le conservatoire d'une flore préservée depuis des millénaires, qui permet aux spécialistes de reconstituer en partie la végétation du Sahara d'hier. Ainsi trouve-t-on sur le plateau du Tamrit, en Algérie, le cyprès de Duprez, véritable fossile vivant vieux de plus de 3 000 ans et n'existant plus que là. Pour assurer leur reproduction, qui demeurerait hasardeuse sans cela, des scientifiques ont constitué une banque de gènes assurant la pérennité de cette espèce. Ailleurs dans le massif, comme dans une guelta du canyon d'Essendilène, on trouve différents étages de végétation (acacias, lavandes, figuiers, etc.) qui permettent de reconstituer la flore des différentes époques du Sahara.

Ayutthaya

Aux XVIIᵉ et XVIIIᵉ siècles, Ayutthaya était un peu une Venise d'Asie : ville prestigieuse et prospère, belle, et desservie par des canaux et des rivières.

Pendant cinq siècles, à partir de sa fondation par le roi U-Thong, Ayutthaya a été la capitale de la Thaïlande, avant d'être dévastée, en 1767, par les Birmans à la suite d'un très long siège. Vaste et prospère, la cité était quasiment devenue une île avec l'aménagement de canaux entre deux rivières. Aujourd'hui encore, on la visite en partie en bateau en y venant souvent depuis Bangkok, à 76 km. Capitale, Ayutthaya était aussi un centre marchand important, commerçant même avec l'Occident. On pratiquait à Ayutthaya le bouddhisme theravada. Les temples de la ville, ses monastères, ses palais et résidences royales étaient aussi nombreux que splendides ; leurs vestiges, encore très évocateurs, constituent actuellement un parc archéologique, la ville moderne se situant à quelques kilomètres.

Budapest

*Avec le charme des grandes villes de la « mittle-Europa »,
Budapest manifeste le prestige de son passé
sur les deux rives du Danube.*

Budapest, dont on voit ici la façade du Parlement
(1903), sur le Danube, est née du regroupement, en
1873, de Buda et Obuda, sur la rive droite du fleuve,
avec Pest, sur la rive gauche. Buda, ville romaine à
l'origine, était la capitale du royaume de Hongrie
depuis le XIVe siècle, avec une interruption lors de la
conquête du pays par l'Empire ottoman. Riche de
1 700 000 habitants, Budapest est une ville d'art dont
le riche passé a laissé de nombreux témoignages :
fortifications et palais royal, églises – dont Saint-Mat-
thias, à Buda, qui conserve la fameuse couronne du
roi saint Étienne –, musées, etc. La synagogue est la
deuxième du monde pour sa taille, et la ville s'enor-
gueillit de l'un des plus vieux métros du monde
(1896), d'une gare construite par Eiffel et de célèbres
bains publics à la manière turque.

Le Yukon

Très hautes montagnes et rivières puissantes caractérisent les paysages grandioses de ce Nord canadien autour du fleuve Yukon. Un pays de trappeurs et de chercheurs d'or.

Voisin de l'État américain de l'Alaska, le Yukon est l'un des territoires du Nord du Canada, où se trouve le point culminant du pays, le mont Logan (5 959 m). Le fleuve Yukon, dont le nom signifie « grande rivière » en langue indienne, a été l'axe de pénétration de cette région montagneuse où abondent glaciers et neiges éternelles, vallées étroites, lacs… Trappeurs et chercheurs d'or – il y eut ici une vraie « ruée vers l'or » à la fin du XIXᵉ siècle – en ont remonté le cours ; aujourd'hui encore, la production de peaux et de minerais (or, argent, plomb, charbon, zinc, cuivre) est importante. Hors des zones d'altitude, on trouve des zones marécageuses, de la toundra et une forêt boréale. Grâce à la puissance de ses rivières, le territoire du Yukon est gros producteur d'énergie hydroélectrique.

Capitol Reef national Park

Au centre de l'Utah, quelques bisons peuvent apparaître en premier plan d'horizons très minéraux aux sommets enneigés. Çà et là, un peu de végétation atténue l'austérité des paysages.

Parce que certaines formations minérales monumentales évoquent la forme d'un dôme et sont couvertes de grès blanc, il n'en fallait pas plus pour nommer ce parc en hommage au Capitole de Washington. Quant au *reef*, c'est une barrière rocheuse comme on en voit plusieurs, très longues, en grès rouge, dans le parc. Y abondent des formes minérales étranges, dues aussi bien à des mouvements de la croûte terrestre qu'à l'érosion. On a découvert dans le parc des vestiges préhistoriques et des pétroglyphes du VIIIe siècle, dans la vallée du Frémont, où, à la fin du XIXe siècle, s'installa une colonie mormone exploitant des vergers. Mais la majeure partie de la végétation du parc est celle des zones très arides, allant, selon l'altitude, depuis des forêts dites « pygmées », avec pins et genévriers, jusqu'au véritable désert, en passant par la steppe.

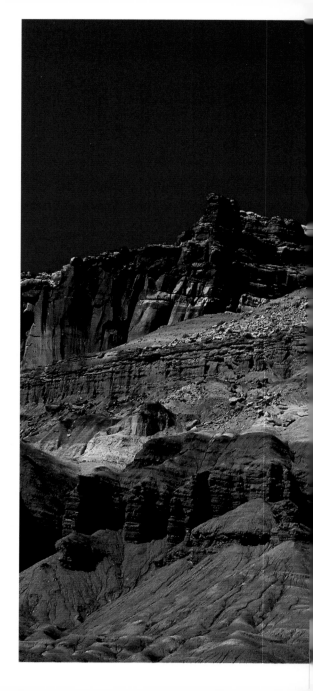

Bryggen

*Même lors des rudes hivers norvégiens, les couleurs pimpantes
des maisons de Bryggen suscitent une vie chaleureuse.
Celle-là même qui régna ici dès l'aube du Moyen Âge.*

Quartier portuaire de la ville norvégienne de Bergen, grand port de la mer du Nord situé au fond d'un fjord, Bryggen ne cesse de séduire visiteurs et photographes pour la qualité de son architecture en bois. Au long du quai s'alignent des façades en pignon vivement colorées, tandis que d'autres constructions s'étagent en arrière. L'activité portuaire fut importante dès le Moyen Âge, Bergen ayant le statut de « ville » à partir du XIᵉ siècle. L'aspect actuel du quartier de Bryggen remonte au XIVᵉ siècle, lorsque les marchands affiliés à la Hanse avaient intégré ce port à leur réseau de centres de commerce ; mais la majorité des maisons ont été reconstruites au XVIIᵉ siècle. Sur une place, le marché aux poissons fait revivre une atmosphère d'autrefois, tout en participant toujours authentiquement à la vie d'aujourd'hui.

Les métros
de Moscou et de Saint-Pétersbourg

*Décorées comme des palais, les stations de métro de Moscou – ci-dessous –
et de Saint-Pétersbourg sont visitées comme des monuments.*

Dans le cadre d'une politique de travaux volontariste, la construction du métro de Moscou fut décidée en juin 1931 ; quatre ans plus tard, la première ligne était inaugurée et les Moscovites découvraient les stations monumentales du centre de la ville. Dans des espaces très vastes, la richesse du décor est au service de la glorification historique et politique. Marbres, mosaïques, sculptures reflètent la lumière émise depuis les lustres immenses des stations Komsomolskaïa, Kievskaïa, Maïakovskaïa, Novoslobodskaïa… Il y a aujourd'hui 12 lignes de métro à Moscou, mais deux seulement à Saint-Pétersbourg. Elles sont beaucoup plus récentes, plus profondes encore du fait de l'humidité du sous-sol. La décoration des premières stations, dans les années 1950, voulait rivaliser en luxe, dans le registre du réalisme soviétique, avec celle du métro de Moscou.

Le Geirangerfjord

L'ampleur et la beauté sereine des paysages scandinaves se révèlent magnifiquement dans ce fjord profond du Sud-Ouest de la Norvège.

Entre des murailles rocheuses dressées à plus de 1 000 m des flots, le Geirangerfjord s'allonge avec la sérénité d'un lac. Sans nul doute, il est l'un des plus beaux de Norvège, et même de toute la Scandinavie. Si beau et si justement célèbre qu'il n'est pas rare de voir y pénétrer de gros navires de croisières que l'importance des fonds – plusieurs centaines de mètres – permet d'accueillir. L'émerveillement est assuré, tant devant le fjord lui-même que devant les cascades dévalant des pentes latérales parmi des forêts somptueuses dominées par d'imposants sommets. Vallées glaciaires creusées naturellement plus bas que le niveau de la mer, les fjords ne sont pourtant pas remplis d'eau salée : issues de la fonte des glaciers, leurs eaux douces et très froides ne se mélangent que très peu avec l'eau de la mer.

Sanaa

« Il faut voir Sanaa, même si le voyage est long »,
dit un vieux proverbe arabe. Et c'est toujours vrai,
tant est séduisant le patrimoine de la capitale du Yémen.

Située dans une vallée à 2 200 m d'altitude, Sanaa a été un important centre de la propagation de l'islam aux VII\e et VIII\e siècles. Sanaa a plus de 2 500 ans. La ville fut éthiopienne puis ottomane avant d'être islamisée. Elle se caractérise par une architecture de terre où les hautes constructions – les maisons ont parfois 6 étages – sont ornées de motifs décoratifs en relief et d'un décor de frises, et rehaussées de blanc ou de couleurs vives. Elles sont aussi souvent dotées de vitraux colorés. Au cœur de sa citadelle fortifiée, Sanaa ne conserve pas moins de 103 mosquées, 14 hammams et 6 500 maisons d'avant le XI\e siècle. Ruelles étroites, escaliers, passages couverts, souks mais aussi jardins renforcent l'attrait de l'une des plus belles villes anciennes de la péninsule arabique.

Le village de Songho

*Au cœur du pays dogon, l'un des plus riches, culturellement
parlant, de l'Afrique noire, Songho résiste encore
aux effets du tourisme. Pour combien de temps encore ?*

Songho est un village dogon du Mali. Un village riche de coutumes et de traditions soigneusement respectées par ses habitants. Dans ce pays dogon de la boucle du Niger, l'architecture est spontanément belle, mêlant murs de briques sèches ou de pisé et petits toits coniques, le tout intimement uni au sol et aux falaises par les formes et les couleurs. Des rites importants – comme celui de la circoncision des jeunes garçons – se déroulent dans des grottes dont les parois sont ornées de peintures liées à la religion animiste. Les Dogons constituent l'une des plus anciennes populations de l'Afrique de l'Ouest, et aussi l'une de celles dont la culture est la plus riche. L'école française d'ethnologie en a d'ailleurs fait l'un de ses sujets d'étude de prédilection. Reste à souhaiter que le développement du tourisme, déjà très présent, n'altère pas la richesse culturelle du pays.

Le monastère
Sainte-Catherine du Sinaï

Ici Dieu parle à Moïse et à son peuple. Ici s'inscrivent des actes fondateurs des trois religions du Livre, le judaïsme, le christianisme et l'islam. Et depuis dix-huit siècles, quelques hommes prient à l'ombre de la montagne sainte.

En Égypte, au pied de la montagne sainte où Moïse a reçu les commandements de Dieu, là même où, dit-on, il aurait vu le buisson ardent brûler sans se consumer, en plein cœur du massif du Sinaï, le monastère Sainte-Catherine est l'un des plus anciens du monde. On situe sa fondation au IIIe siècle. Douze moines orthodoxes l'occupent encore. Dans un cadre grandiose mais quasiment désertique, ils veillent sur un haut lieu mais aussi sur d'inappréciables richesses. Le monastère possède en effet l'une des plus importantes collections d'icônes du monde, ses chapelles sont ornées de fresques magnifiques, les objets liturgiques constituent un vrai trésor. Dans la bibliothèque, les manuscrits anciens sont à peine moins nombreux que ceux que conserve la bibliothèque du Vatican.

Le quartier de Pudong

Oui, la Chine s'est éveillée.
À Shanghaï, elle le montre avec démesure dans
le quartier nouveau de Pudong qui apparaît comme l'un
des plus impressionnants « sky-line » du monde.

Shanghaï, la plus grande ville de Chine qui doit accueillir une Exposition universelle en 2010, n'a pas attendu cette échéance pour montrer fièrement l'essor prodigieux du pays. Forte de près de 20 millions d'habitants, cette ville désormais « verticale » a vu pousser récemment plus de 150 gratte-ciel dépassant 100 m de haut. Construit sur d'anciens marais en moins de 15 ans, Pudong a l'air sorti d'une bande dessinée futuriste. Tout est démesuré dans ce quartier voué à la finance, aux échanges internationaux, aux technologies de pointe, où le boulevard du Siècle ne fait pas moins de 5 km. Devenue symbole de la ville, la Pearl Tower atteint 468 m, et on doit inaugurer fin 2008 un centre financier mondial qui sera la plus haute tour du monde, avec 101 étages et 492 m de haut. D'aucuns s'inquiètent pourtant de cette expansion verticale, qui pose des problèmes humains et environnementaux non négligeables.

Les montagnes sacrées
de Hua Shan

Dressées vers le ciel, ces montagnes sont devenues des temples.
Pour les taoïstes, elles sont un lieu de pèlerinage
dont la dernière étape est l'ascension de marches tellement
raides qu'elle nécessite de s'accrocher à des chaînes
pour les gravir.

« Fils du Ciel », les empereurs de Chine ne grimpaient pas au plus haut de ces montagnes granitiques atteignant 2 200 m d'altitude et qui constituent pourtant « la Montagne céleste ». Ils s'arrêtaient dans l'un des nombreux temples élevés sur les pentes de ce sanctuaire taoïste, l'une des cinq montagnes sacrées de la Chine où l'homme s'immerge dans le souffle vital de la nature. L'alliance de reliefs impressionnants se détachant sur le ciel et de la végétation qui les recouvre çà et là apporte à ce paysage impressionnant une force rare qui ne pouvait qu'inspirer les mystiques et les peintres. Dès la dynastie des Tang, au VIIe siècle, Hua Shan devint un sujet de prédilection des artistes. Touristes ou pèlerins, les Chinois sont aujourd'hui très nombreux à monter jusqu'au plus haut sommet dominant un horizon immense.

Les falaises sculptées de Dazu

Ce superbe motif circulaire, c'est la Roue de la Loi, symbole synthétique de l'enseignement du Bouddha. Son importance spirituelle est telle que les gardes rouges l'épargnèrent, sur ordre, dit-on de Zhou Enlaï lui-même.

À 15 km au nord de la ville de Dazu, sur le site de Baodingshan, en Chine, plus de 10 000 sculptures bouddhiques ont été réalisées dans des falaises aux XIIe et XIIIe siècles. Outre leur intérêt religieux, elles présentent celui d'accompagner les figures sacrées de nombreuses scènes de la vie quotidienne et, surtout, d'avoir conservé la plus grande part de leur polychromie. On y trouve parfois des représentations exceptionnelles : une déesse de la miséricorde dotée de 1 007 mains ou un Bouddha couché long de plus de 30 m. Certains ensembles réunissent des éléments issus des traditions bouddhique, taoïste et confucianiste, rassemblées dans une unité essentielle à la culture chinoise. Quant à la Roue de la Loi, ses six quartiers représentent les six états de la transmigration, tandis que des personnages illustrent les vertus menant au paradis.

Orgues basaltiques

*Nulle musique, si ce n'est celle du vent, ne s'échappe
de ces gigantesques jeux d'orgues de basalte.
Ils sont tellement impressionnants que nos ancêtres
du néolithique leur avaient probablement
attribué un caractère sacré.*

Il y a 65 millions d'années, le retrait des eaux qui
couvraient l'actuel Sahara dégagea un socle sédi-
mentaire qui fut affecté de plissements à l'origine
du massif du Hoggar. Mais c'est un épisode de volcanisme très actif qui modela les reliefs et forma les
bases des paysages que l'on admire aujourd'hui.
Alors apparurent des amas de roches magmatiques
très diverses de formes et de couleurs, dont ces
extraordinaires orgues basaltiques d'une étonnante
régularité, hauts prismes hexagonaux au-dessus du
cours de l'ancien oued Intabarert. Pourtant, depuis
deux millions d'années, l'érosion a attaqué ces
formes, atténuant leur régularité.

Le Tassili n'Ajjer

Horizons de la démesure, rencontres de masses rocheuses énormes et d'immensités de sable, les paysages du Tassili n'Ajjer, au sud-est de l'Algérie, sont parmi les plus illustres du Sahara.

Le Sahara n'est pas, et de loin, qu'un désert de sable. Et aux images si fortes des ensembles dunaires s'ajoutent celles d'impressionnants massifs rocheux comme ceux du Tassili n'Ajjer. Elles mettent en valeur les hamadas, plateaux rocheux aux parois hautes de plusieurs centaines de mètres. D'origine calcaire, ils sont souvent gréseux et portent alors le nom de tassilis. On a peine à imaginer que leurs falaises ont été dégagées il y a des millions d'années par l'érosion de rivières, avant que les vents parachèvent ce titanesque travail de sculpture du paysage. Parfois, l'érosion a été confrontée à des blocs rocheux plus durs qui ont formé en avant des plateaux des buttes témoins, les gours.

L'Annapurna

*Une expédition française marque l'histoire de l'alpinisme
en parvenant à vaincre pour la première fois
un sommet à plus de 8 000 mètres.*

L'Annapurna (8078 m) situé dans la partie septen-
trionale du nord du népal doit son nom à la déesse
de la Plénitude de la mythologie hindoue. Le 3 juin
1950 une équipe française comprenant Maurice
Herzog, Louis Lachenal, Lionel Terray et six autres
alpinistes remportent une des plus belles victoires de
l'homme sur la nature en parvenant à son sommet,
réalisant par cet exploit la première conquète d'un
sommet de plus de 8000 m. Sauvés grâce au
dévouement de leurs compagnons Herzog et Terray
payèrent un lourd tribut à ce succès : mains et pieds
gelés pour le premier, cécité pour le second rendu
aveugle par la réverbération.

La place de la Concorde

Geste d'urbanisme grandiose, la place parisienne
qui joint le quartier des Tuileries et du Louvre
à celui de Champs-Élysées associe noblesse et grandeur.

La place royale de Louis XV, conçue « hors-les-murs » par l'architecte Jacques-Ange Gabriel, a été réaménagée en 1835 par Hittorf, chargé alors de l'érection en son centre de l'obélisque de Louxor. Venu d'Égypte à grands frais, c'était un cadeau de Méhémet-Ali à Louis-Philippe. Cette antiquité s'efforçait de faire oublier la guillotine dressée là en 1793 et par laquelle avait été exécuté Louis XVI. La place s'ordonne aussi autour de deux magnifiques fontaines évoquant respectivement la Navigation fluviale et la Navigation maritime, inspirées de fontaines romaines. Elles font écho au pavillon de la Marine, l'un des deux palais fermant la place. En fin d'année, à l'entrée du jardin des Tuileries et dans la perspective des Champs-Élysées, une grande roue apporte un caractère festif ; mais sa présence est souvent contestée dans un tel cadre.

Stralsund

Dans la chaude couleur de ses briques, Stralsund a toujours joué la carte de la mer. Protégée vers l'intérieur par ses remparts, elle s'ouvre sur un golfe de la Baltique.

Sur la côte allemande de la mer Baltique, en Poméranie, Stralsund joua un rôle important au sein des villes hanséatiques durant les XIVe et XVe siècles. Passée ensuite aux Suédois, la ville développa une architecture de brique très caractéristique qui fait encore aujourd'hui le charme de son centre ancien. Ce matériau fut utilisé à toutes les époques, et contribue, au-delà des différences de styles, à l'unité de la ville. Si le tourisme est ici une activité essentielle, Stralsund n'oublie pas ce qu'elle doit à la mer : elle célèbre encore Klaus Störtebeker, le plus illustre de ses pirates, mais on peut surtout y visiter le Musée allemand de la Mer, riche en embarcations anciennes, pas très loin de chantiers navals toujours actifs.

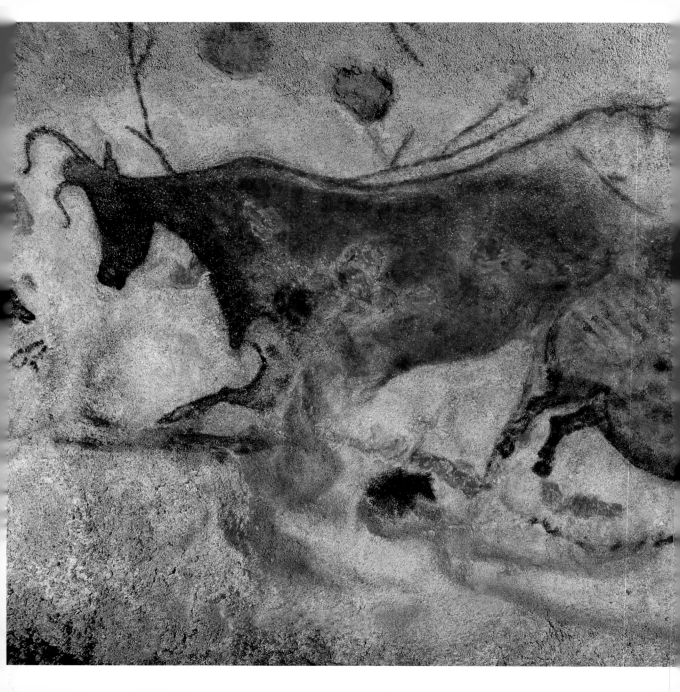

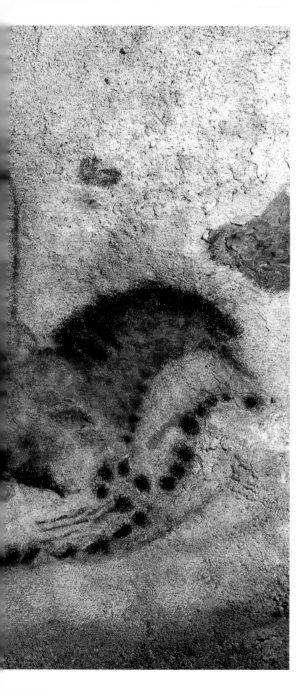

Les peintures de Lascaux

*Une découverte fortuite révèle un des hauts lieux
de la préhistoire : à Lascaux, les premiers hommes ont laissé
les premières œuvres d'art.*

Le 12 septembre 1940, quatre adolescents recherchent leur chien mystérieusement disparu dans le trou laissé par un arbre déraciné. Soudain, ils découvrent une faille ouvrant sur une grotte. L'extraordinaire univers souterrain de Lascaux se révèle. Rapidement appelé après que l'on a observé de splendides peintures sur les parois de la grotte, l'abbé Breuil, le plus grand spécialiste du temps, affirme que Lascaux est « la chapelle Sixtine du Périgord » ; et celle de la préhistoire ! Près de 1 500 gravures et 600 peintures représentent des animaux et des points et motifs géométriques mystérieux. À partir de 1948, on visite la grotte, mais l'affluence, dommageable pour les peintures, est telle qu'il faut la fermer. Les visiteurs se contentent donc d'un fac-similé, mais l'émotion de la confrontation avec les premiers témoignages de l'art demeure.

Le château de Chenonceau

Dans la douce lumière de la Touraine, au cœur de la France, les eaux du Cher confèrent à Chenonceau une élégance toute féminine. Et sa séduction fait merveille : il est le château de France le plus visité après Versailles.

Construit à partir de 1513 sur les fondations d'un ancien moulin, le château de Chenonceau est offert par le roi Henri II à Diane de Poitiers, qui l'embellit. Puis Catherine de Médicis fait bâtir la galerie sur l'eau, lieu de fêtes dont les lumières se reflétaient sur la rivière. Le château, serti dans un parc boisé s'ouvrant pour laisser place à un jardin de parterres à la française, devient ainsi un joyau de la Renaissance. Et les richesses intérieures, mobilier, collection de peintures, sont à la hauteur de l'architecture, hier comme aujourd'hui où l'élégance est un souci constant : 80 000 plants de fleurs servent en partie au renouvellement, deux fois par semaine, des nombreux bouquets répartis dans le château.

Le volcan Sangay

Lorsque son activité le préserve des brouillards ou des fumées,
parure qui explique son surnom de « volcan fantôme »,
le Sangay apparaît comme un cône d'une régularité superbe ;
il culmine à 5 230 m.

Bien que couvert de neiges éternelles, le Sangay, en
Équateur, est l'un des volcans les plus actifs du
monde, à environ 200 km au sud de Quito. Il est de
type strombolien, et en éruption continue depuis
1934. Presque régulièrement s'échappent de ses
trois cratères des fumées de cendres et des jets de
pierres parfois incandescentes, et quelques coulées
de lave. Cela modifie peu à peu l'immense paysage
désolé alentour, formé de plateaux de cendres
qu'entaillent des canyons dont la profondeur atteint
parfois 600 m. Un peu plus loin, d'autres volcans
sont tout aussi impressionnants, même s'ils sont
moins actifs, certains, comme le Chimborazo,
dépassant les 6 000 m d'altitude.

Malbork

Tout au nord de la Pologne, les hauts murs de la plus vaste forteresse gothique résonnent des pas des chevaliers teutoniques, moines soldats qui en firent le siège de leur ordre.

Sur la rive droite d'un bras de la Vistule, la forteresse de Malbork, ou Marienburg en allemand, a été édifiée au XIIIᵉ siècle par les chevaliers teutoniques, ordre hospitalier et militaire. Durant deux siècles, les constructions se développeront jusqu'à former, en un site à la fois stratégique et propice au commerce, une cité fortifiée couvrant 20 ha. On y trouve deux châteaux, le palais des Grands maîtres, des chapelles, des logis et communs importants. Le plan répond à la double vocation de l'ordre : il est à la fois celui d'une forteresse et d'un monastère. Sur des bases en pierres locales, les murs sont en brique, ce qui, avec les vastes toits pentus couverts de tuiles, donne à l'ensemble une dominante rouge caractéristique. Les chevaliers abandonnent Malbork en 1457 ; la forteresse et la ville passent à la Pologne et, bien plus tard, à la Prusse.

La chaîne des Puys

Dessinant un horizon de croupes érodées,
les sommets d'Auvergne semblent avoir perdu la brutalité
primitive des volcans qu'ils ont été ; mais, vestiges de temps
immémoriaux, ils restent impressionnants.

Le relief des monts d'Auvergne, au centre de la France, présente aujourd'hui des paysages bien paisibles et très verdoyants ; il est pourtant le vestige d'une activité volcanique commencée il y a 25 millions d'années et qui se manifestait encore il y a 8 500 ans. Le volcanisme a perturbé un socle ancien granitique et des plaines sédimentaires issus des mouvements tectoniques. Il a formé les volcans de la chaîne des Puys il y a 150 000 ans, faisant surgir magma et roches basaltiques qui, aujourd'hui érodées, dessinent l'horizon auprès du Puy de Dôme, qui culmine à 1 465 m.

L'île de Pâques

Malgré d'innombrables hypothèses, les statues colossales de l'île de Pâques gardent toujours leur mystère.

L'île de Pâques est sans doute la terre la plus isolée du monde : 2 000 km séparent ses 117 km² du plus proche rivage. Pourtant, bien avant sa « découverte » au début du XVIIIᵉ siècle, les habitants y étaient nombreux. L'archéologie est encore loin de tout nous apprendre sur ces premiers occupants, cannibales venus soit de la Polynésie, soit des terres sud-américaines. Et le mystère plane encore sur les célèbres statues monumentales taillées dans le basalte – l'île est volcanique –, découvertes soit dressées, soit abattues, et même encore en cours de taille dans les carrières. Leurs yeux faits d'os incrusté de corail ou d'obsidienne contribuent à leur aspect mystérieux, et on ignore toujours leur fonction exacte, sans doute cultuelle, et comment elles furent réalisées. Aussi les hypothèses les plus fantaisistes sont-elles parfois avancées…

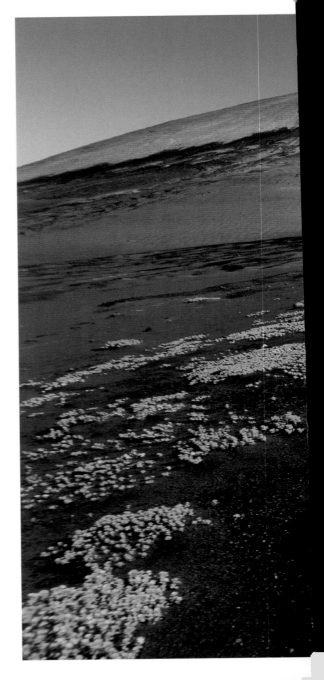

L'île de Sutsey

La mythologie celte a gagné l'Islande, où le dieu géant Surt est l'équivalent de Vulcain, le maître du feu. À un peu plus de 30 km au sud de la grande île du Nord, il s'est manifesté encore en 1963 : une nouvelle île volcanique apparut alors.

Novembre 1963 : par 130 m de fond, une éruption sous-marine commence ; deux mois plus tard, un volcan s'élève à 480 m au-dessus du niveau de l'océan. L'été suivant, d'importantes coulées de lave grossissent les pentes du volcan, s'écoulant jusqu'à la mer. 270 millions de m³ ont formé une île nouvelle. Les scientifiques décident alors d'observer le développement de la vie sur cette terre encore aujourd'hui préservée de toute présence humaine. La végétation se répandit rapidement depuis les rivages sur les pentes de la montagne, et trois ans après son apparition, on y dénombrait 23 espèces d'oiseaux. Mais du fait de l'érosion marine et éolienne, l'île a commencé à se réduire. On prévoit qu'elle pourrait disparaître d'ici 500 ans.

Le viaduc de Millau

Depuis peu entre les causses s'est instauré un dialogue
audacieux : celui de la technique de pointe avec la nature
ancestrale. D'une fine élégance, le profil du viaduc appartient
désormais au paysage de la vallée du Tarn.

Le choix de l'ouvrage devant assurer la continuité
de la liaison autoroutière entre le causse Rouge et le
Larzac, en franchissant la vallée du Tarn, a été long
et difficile, tout comme celui de son emplacement.
Mais une fois ces choix effectués, le chantier fut
rapide : « première pierre » en décembre 2001,
inauguration en décembre 2004. Trois ans pour
dresser deux culées et sept piles de béton dont la
plus haute du monde pour un viaduc routier
(245 m), pour lancer un tablier métallique plus long
que l'avenue des Champs-Élysées, pour mettre en
œuvre 205 000 tonnes dont 85 000 de béton... Tout
cela pour inscrire dans le ciel des lignes géométriques d'une étonnante légèreté, dues au crayon de
l'architecte anglais Norman Forster qui retint le
principe du pont à haubans où les câbles soutiennent les tronçons du tablier voisins de chaque pile.

Le parc de l'Étang du Dragon noir

*Pour être classique, l'image n'en demeure pas moins superbe,
évocatrice de l'harmonie de la sagesse chinoise. Les courbes de
l'architecture répondent aux lignes de l'horizon, posant entre
l'eau et le ciel le « Pavillon pour embrasser la lune ».*

Le parc chinois de Lijang bénéficie d'un cadre
naturel grandiose, au pied de la montagne du
Dragon de jade. Il est riche de plusieurs lacs et
étangs. On y a remonté plusieurs sanctuaires et
monastères de la région, comme la lamaserie
Yufengsi. Le pays est celui des Naxis, dont les
prêtres s'adonnent à la divination et qui, par ses
coutumes, ne cesse d'intéresser les ethnologues.
Parmi les saules et les châtaigniers, un musée et
un institut de recherche sont d'ailleurs consacrés
à la tradition Dongba, la culture des Naxis.

Dubaï

La richesse des pétrodollars à l'assaut de l'aridité du désert :
Dubaï est une terre de tous les contrastes, de toutes les audaces

Près de 600 gratte-ciel quasiment surgis du désert, près d'un million d'habitants, un modernisme conquérant cohabitent à Dubaï. Mais aux portes de la ville que ses responsables présentent comme la « ville globale » du XXIᵉ siècle, des caravanes de dromadaires vont encore à pas lent tandis que se profilent à l'ombre des tours les minarets classiques de mosquées traditionnelles. Il reste que les pêcheurs de perles du bourg de Dubaï, au XIXᵉ siècle, sont bien oubliés, tandis que l'extraordinaire expansion du pays, au profit d'un capitalisme souvent cynique, est assurée par une main-d'œuvre extrême-orientale durement exploitée. Le contraste social risque de devenir une poudrière, contraste aussi radical que celui entre la mosquée Jumeirah et l'hôtel Burj al-Arab. Le plus haut du monde, il est un exemple de nombreuses réalisations d'une folle audace conquises sur la mer.

La Mongolie

Lointaine et mystérieuse, la Mongolie fait rêver ; la steppe, les montagnes, les chevaux ; et l'immensité, bien sûr...

Les tentes – les yourtes – ont l'ampleur qui convient à la demeure des nomades. Sur l'herbe rase de la steppe, les chevaux ne sont jamais loin. Et la vie continue aujourd'hui comme toujours dans les immensités entre Chine et Russie. Plus de la moitié des 2 600 000 habitants répartis sur un territoire de 1 565 000 km² sont éleveurs, comme leurs ancêtres du temps lointain où le grand Gengis Khan créait un empire mongol (XIIIᵉ siècle). Ils élèvent des chevaux, des moutons, des chèvres, des yacks ; on ignore souvent que la Mongolie est le premier producteur mondial de cachemire. Mais les exploitations minières prennent une place croissante dans l'économie fragile d'un pays qui comprend l'un des plus vastes déserts du monde, le désert de Gobi, et qui est soumis aux amplitudes extrêmes d'un climat continental, avec des hivers glacés et des étés torrides.

Blue Hole, Bélize

*Un saphir parfaitement circulaire au milieu
d'une mer d'émeraude : une fois encore, la nature joue
les artistes, et l'image n'a rien d'abusif.*

Au large des côtes du Bélize, l'ancien Honduras britannique, serré entre le Mexique et le Guatemala,
offre sur ses côtes un authentique paradis pour
les amateurs de plongée sous-marine. Le Blue Hole,
le « trou bleu », est l'un de leurs sites préférés. Au
ras de l'eau, rien d'autre qu'une sorte de lagon
comme tant d'autres dans la mer des Caraïbes ;
mais vu du ciel, c'est un cercle parfait qui se
dessine, d'un bleu sombre profond, entouré à peu de
distance par des îlots formant comme une couronne.
En plongée, à environ 2 m de profondeur, c'est un
phénomène naturel exceptionnel qui se révèle, l'ouverture d'un gouffre sous-marin de 300 m de diamètre. Ses parois descendent à 120 m de profondeur ; là, d'étonnantes stalactites tapissent le fond.

La rivière Li à Guilin

Haut lieu d'inspiration des peintres et poètes chinois,
la rivière Li sinue au pied de montagnes karstiques.
La succession de leurs plans les fait apparaître
comme le plus somptueux des décors.

Dans la province de Guangxi, aux abords de la ville de Guilin, « la rivière des Perles » offre ses plus beaux paysages, image rêvée de la Chine éternelle. Au loin règnent les bleus et les verts vaporeux de l'horizon. Les roches calcaires érodées depuis des millénaires semblent placées là par un talentueux metteur en scène ; parfois elles viennent jusqu'à la rivière qu'elles surplombent en falaises abruptes. Plus près, des rideaux de bambous, des villages hors du temps, des pêcheurs sur de fragiles embarcations complètent le tableau. Les plus patients, les plus habiles découvrent la vallée à pied ; les autres, de plus en plus nombreux, s'entassent sur des bateaux de croisières touristiques : la rivière Li est désormais un « incontournable » du voyage en Chine.

La Havane

Étonnants contrastes que ceux de La Havane !
La capitale de Cuba est à la fois coloniale et hispanique,
socialiste pure et dure, américanisée ici, caraïbe partout..

Coloniale, La Havane l'est à plus d'un titre depuis sa fondation, en 1519 : port espagnol, escale britannique puis américaine. Le centre historique porte les traces de ces trois colonisations successives, mêlant des monuments à la splendeur déchue et des habitations populaires, de vieux immeubles délabrés et surpeuplés. Églises et palais baroques hispaniques, demeures Art nouveau, villas coloniales presque ruinées : le patrimoine architectural est exceptionnel, comme sur la place de la cathédrale, édifice datant de 1789. Mais La Havane, c'est aussi une mythologie : celle des cigares, bien sûr, et de la ville interlope fascinant artistes et écrivains, tel Hemingway qui y aurait créé le fameux cocktail Daïquiri… C'est le soleil et la mer des Antilles, les couleurs des marchés et, par-dessus tout, la musique… cubaine.

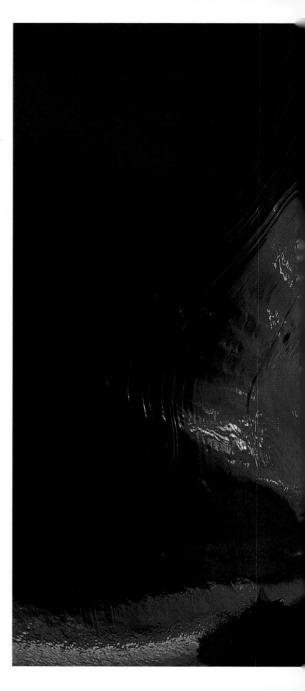

Stalactite dans une grotte de glace

Si l'érosion des eaux et des vents sculpte la roche,
les torrents issus de la fonte des glaces peuvent aussi travailler
celle-ci pour créer des œuvres impressionnantes.

Les bédières, torrents formés par la fonte de la glace
au Groenland, ne se contentent pas de couler en surface. Se glissant dans les anfractuosités de la calotte
glaciaire de l'Inlandsis, elles pénètrent parfois à l'intérieur même de cette masse, profitant des zones de
moindre densité pour creuser dans la glace un
réseau souterrain. Les « glacionautes » se font alors
spéléologues, découvrant parfois d'extraordinaires
cavités ouvertes dans la glace, grottes ou gouffres.
Comme dans les grottes minérales, les mouvements
de l'eau modèlent aussi des formes souvent superbes, allant même jusqu'à créer des stalagmites ou,
comme ici, des stalactites de glace acérée.

Jodhpur

*L'Inde est un pays de senteurs et de couleurs.
À Jodhpur, une bonne partie des maisons du centre
ancien sont peintes en bleu.*

Jusqu'au XVᵉ siècle, la capitale du clan des Rathore, au Rajasthan, vaste région du nord-ouest de l'Inde, était Mandore. En 1459, le prince Rao Jodha décida de fonder aux portes du désert du Thar une nouvelle capitale dont le nom l'honorerait : Jodhpur. L'emplacement avait un avantage : place militaire à l'origine, il offrait en outre une étape appréciable sur la route de la soie et des épices. Une enceinte ne mesurant pas moins de 10 km, percée de sept portes, enserre toujours la vieille ville, dominée par la citadelle de Mehrangarh, le « fort magnifique », en majeure partie du XVIIᵉ siècle. Il est si vaste qu'il intègre plusieurs palais. L'une des curiosités de Jodhpur lui vaut son surnom de « ville bleue » : de nombreuses maisons des vieux quartiers sont traditionnellement peintes de cette couleur.

Les carrières d'ocre de Roussillon

Dans le beau massif des collines du Lubéron,
la vallée d'Apt aurait pu n'être qu'une friche industrielle
à la poésie un peu étrange. Mais l'endroit a pris un autre visage.

Là où l'exploitation de carrières avait apporté la prospérité règne toujours la chaude couleur orangée des ocres qui firent longtemps la réputation de la région. Le nom même de Roussillon évoque cette couleur, qui marque autant les sols naturels que les murs et les toits des villages. Au printemps, quand la végétation est encore verte et n'a pas déjà été grillée par le soleil, la couleur des pins maritimes, des chênes et des châtaigniers ou les maquis de bruyère sont le contrepoint de cette couleur dominante. Quant aux carrières où l'on extrayait l'ocre – 90 % de silice, 10 % d'argile colorée de goethite –, l'érosion y relaie le travail des hommes pour révéler canyons, falaises et buttes, cheminées de fées et orgues de pierre. Un paysage fantastique qui fait oublier le dur travail des carriers et des mineurs, pratiqué souvent au prix de leur santé.

Pigeonniers en Cappadoce

*L'étrangeté de la Cappadoce ne réside pas seulement
dans son relief ou dans ses églises rupestres.
Un peu partout, des pigeonniers aux formes diverses
s'inscrivent dans le paysage minéral.*

En Cappadoce, les pigeons sont presque des animaux
de compagnie ; mais ils sont surtout des producteurs
d'engrais. L'architecture souvent audacieuse des
pigeonniers, soit accrochés aux pentes, soit perchés
de manière fort pittoresque sur les pitons volcaniques
caractéristiques du pays, privilégie cette fonction.
Datant des XVIIIe et XIXe siècles, certains occupent
parfois d'anciennes chapelles semi-troglodytiques.
D'autres ont leur façade décorée de sculptures et de
peintures, ce qui montre bien leur importance dans la
vie traditionnelle des communautés paysannes. On
trouve souvent dans ces décors les thèmes anatoliens
de l'oiseau perché sur l'arbre des générations, ou de
la grenade, thèmes associés à la prospérité familiale
dans cette région de Turquie.

Machu Pichu

Sur les hauteurs de la cordillère des Andes, Machu Pichu est parfaitement bien défendu par son environnement de montagnes. La cité sacrée et militaire des Incas est campée à 2 400 m d'altitude.

On attribue la construction de Machu Pichu à Pachacutec, vers 1440. Sur un piton en à-pic au cœur de la forêt tropicale où fleurissent des orchidées sauvages, la cité semble avoir été abandonnée avant même l'arrivée des envahisseurs espagnols, et n'aurait donc été occupée qu'à peine durant un siècle. Immense palais et forteresse plus que ville, le site, redécouvert en 1911, comportait, selon les archéologues, un quartier sacré dédié au dieu Soleil, un quartier d'habitations et celui des nobles et des prêtres. Tous les édifices sont de grande qualité, en pierres de granit appareillées à sec ; les plus remarquables sont une horloge solaire et un temple du Soleil, la divinité majeure du panthéon inca.

2 juin

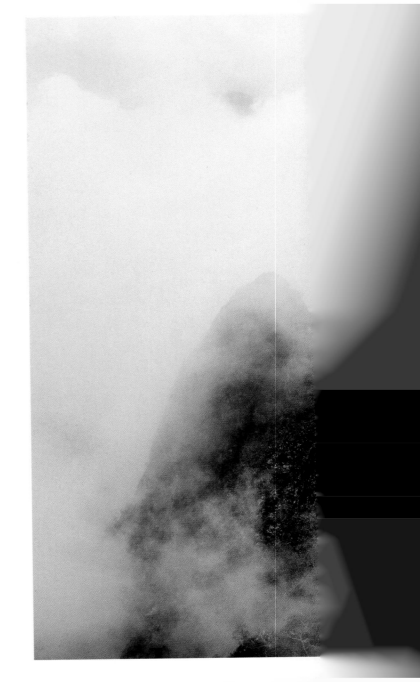

Pammükale

*Des sources thermales extrêmement riches
en carbonate de calcium ont créé ici, en Turquie, un étonnant
paysage de cascades et bassins de calcite d'une blancheur
laiteuse : la « forteresse de coton ».*

L'antique Hierapolis était déjà une importante station thermale. Un temple d'Apollon, un théâtre, une vaste nécropole : le site pourrait n'être qu'archéologique. Mais on y voit aussi ces extraordinaires concrétions formées sur les parois d'un plateau où rejaillissent en sources multiples les eaux du fleuve Méandre disparues dans une faille. Les dépôts laissés par les eaux fumantes – elles sont à 35 °C – s'évaporent dès leur sortie des sources, et se pétrifient. Dans les bassins formés à leur pied, le bain chaud est incontournable ! Les thermes de la ville antique étaient alimentés directement par ces eaux chaudes, efficaces hier comme aujourd'hui dans le traitement de troubles rhumatismaux, cardio-vasculaires, ophtalmologiques, mais appréciées surtout comme une curiosité touristique.

L'église Saint-Charles-Borromée

Longtemps capitale impériale, Vienne fait chanter son nom
sur des airs d'opéra ou de valse auxquels répondent
courbes, contre-courbes et foisonnements du baroque :
la ville en est une capitale européenne.

Sur les rives du Danube, la capitale de l'Autriche est fière, à juste titre, des souvenirs de son très glorieux passé. Capitale du Saint Empire romain germanique puis de l'Autriche-Hongrie, la ville de la musique, qui est aussi celle des cafés, connut un essor culturel prodigieux aux XVIIIe et XIXe siècles. L'église Saint-Charles-Borromée témoigne bien de la Vienne baroque. Elle a été construite de 1715 et 1737 par l'un des maîtres du style de la Contre-Réforme catholique, Johann Bernhard Fischer von Erlach, qui fréquenta le Bernin en Italie. La monumentalité de l'édifice exprime le triomphe de l'Église catholique et reprend des formes venues de l'Antiquité, références prestigieuses. Ainsi le péristyle et son fronton, ou le symbole impérial des deux colonnes trajanes.

Bangkok

*Si la population de la capitale de la Thaïlande officiellement
recensée dépasse les six millions d'habitants,
on l'estime en fait au moins au double : Bangkok est une
mégapole, une métropole de l'Asie, une ville sainte,
un grand centre de culture et de tourisme.*

Depuis la fin du XVIIIᵉ siècle, où la ville fut choisie comme capitale royale par le premier souverain de la dynastie encore en place aujourd'hui, Bangkok n'a cessé de croître sur les deux rives du fleuve Chao Phraya. La rive droite, c'est « la Venise d'Asie », où des canaux, les *klong*, encombrés d'embarcations, donnent un charme bien particulier à la ville ; la rive gauche est celle où les gratte-ciel des quartiers d'affaires dominent les palais et des temples anciens. Parmi ceux-ci, le Wat Pho abrite un grand Bouddha couché, et le Wat Traimit un Bouddha d'or de 5,5 tonnes, la plus importante statue d'or du monde. Le plus vénéré, dans l'enceinte du Palais royal, est la demeure d'un petit Bouddha d'Émeraude, emblème national.

Le Mékong

*Sur une bonne moitié de son cours, le Mékong se précipite
en Chine à travers des gorges avant de s'apaiser puis de se perdre
en multiples ramifications dans un immense delta.*

Huitième fleuve du monde pour son débit, le plus
long fleuve de l'Asie du Sud-Est prend sa source à
5 000 m d'altitude dans le massif tibétain et se jette
dans la mer de Chine méridionale. Au long d'un
cours de 4 800 km, il irrigue successivement la
Chine, le Laos — où il marque la frontière avec la
Thaïlande —, le Cambodge et le Vietnam. Puissant,
il n'apporte pas encore ses ressources au développement des 50 millions d'habitants de ses rives, en
matière de pêche, d'irrigation, de transport,
d'hydroélectricité. Le Mékong est navigable de la
frontière chinoise jusqu'à son delta, avec une interruption aux chutes de Khone, entre le Laos et le
Cambodge. Le delta s'étend sur 44 548 km² entre
montagnes et collines ; on y pratique la culture du
riz et on s'y déplace souvent en sampans.

Ouro Preto et le Minas Gerais

*Une épopée américaine : telle est l'histoire d'Ouro Preto,
né d'une ruée vers l'or qui balaya l'État brésilien du Minas Gerais,
à la fin du XVIIe siècle. Des pionniers fondèrent alors la ville,
ne doutant pas d'y faire fortune.*

L'essor d'Ouro Preto (« l'Or noir ») fut à la mesure des espérances nées de la découverte de l'or dans les montagnes et forêts du Minas Gerais. On dit qu'un siècle après sa fondation, la ville comptait plus d'habitants que New York ! Alors s'élevèrent sur les pentes de ses collines des églises, des palais, des fontaines baroques. Un patrimoine où l'or, bien sûr, recouvre souvent les statues, et qui a été préservé depuis la décadence de la cité, survenue rapidement, au XIXe siècle, avec, justement, l'épuisement des ressources en or. Dans l'histoire du Brésil, la ville a joué aussi un rôle important dans les luttes pour l'indépendance du pays.

Le Rocher percé de Gaspésie

Les rochers côtiers comme ceux des îles et îlots
se plaisent à prendre des formes étranges en Gaspésie,
la presqu'île québécoise qui ferme, à l'est,
l'embouchure du Saint-Laurent.

Région de grande nature – mais ne le sont-elles pas toutes au Canada ? –, la Gaspésie offre des paysages où se rencontrent avec force la mer et le continent, le mont Jacques-Cartier y culminant à 1 300 m d'altitude juste au-dessus des flots. Plateau marqué de plissements montagneux, le pays a égrené au large des rochers qui prolongent des rivages très découpés faits de falaises, de criques, d'éboulis. Morceau de falaise détaché de la côte, allongé, creusé d'un trou où s'engouffrent les vagues et prolongé par une aiguille, le Rocher percé est caractéristique de ces reliefs nés d'une érosion multimillénaire qui parsèment la région et contribuent largement à son intérêt. D'autant qu'ils abritent une flore et une faune exceptionnelles, comme d'importantes colonies de fous de Bassan.

Le Nil

Une civilisation est née d'un fleuve : l'Égypte est née du Nil.
Chaque année sa crue est source de vie et le fleuve continue
à jouer un rôle primordial dans le nord-est de l'Afrique.

Second plus long fleuve du monde après l'Amazone,
le Nil (6 671 km) naît de la rencontre, au Soudan,
du Nil blanc et du Nil bleu. Le premier est issu du
lac Victoria, en Ouganda ; le second, du lac Tana, en
Éthiopie. S'ouvrant sur la Méditerranée, le delta du
Nil est d'une importance faunistique et floristique
exceptionnelle. Un phénomène naturel justifie l'importance du fleuve dans la civilisation égyptienne :
chaque année, sa crue dépose des limons sur
ses rives, créant une bande fertile tout au long
des déserts traversés. Seule la création récente
de plusieurs barrages – dont celui d'Assouan – et
du lac Nasser a pu réguler le débit du Nil à travers
l'Égypte. Les vies religieuse, sociale, économique
des pays traversés ont toujours dépendu du fleuve :
on trouve rarement osmose plus parfaite entre la
nature et les hommes.

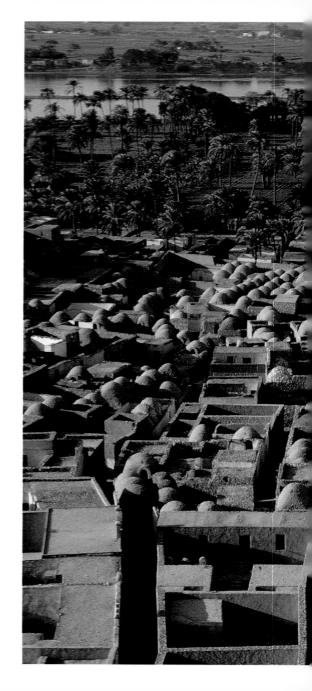

Jérusalem

*La ville sainte des trois monothéismes n'en finit pas de courir
après une paix introuvable ; pour des millions d'hommes,
elle n'en demeure pas moins une terre sacrée.*

Partout dans la ville où le couchant fait miroiter la
coupole du Rocher, l'histoire est sainte. Une ville était
déjà établie là vingt et un siècles avant notre ère, mais
c'est la grande épopée biblique qui a façonné la ville
dont le nom seul est une prière. Christianisme et islam
en ont ensuite enrichi le patrimoine spirituel et religieux. Image emblématique, le dôme doré et en fait
celui de la mosquée dite d'Omar, l'un des plus anciens
monuments de l'islam (691) bâti à l'emplacement du
rocher où Abraham se serait apprêté à immoler son fils
Ismaël, lieu aussi où Mahomet aurait été transporté en
songe. Mais ce serait surtout l'emplacement du fameux
Temple de Jérusalem, le temple de Salomon plusieurs
fois reconstruit et cœur de la foi hébraïque. Marbres de
couleur, céramiques, mosaïques donnent tout son faste
au monument, toujours utilisé en tant que mosquée.

Venise

Un masque de carnaval ne saurait le cacher :
ville d'histoire, foyer exceptionnel d'art et de culture,
Venise restera une ville mythique, une ville rêvée.

Quelques réfugiés sur une île marécageuse tentent d'échapper à l'invasion des Lombards : au VIᵉ siècle, ils n'imaginent guère le sort prestigieux de la bourgade qu'ils fondent. Protégée par les eaux, Venise y trouve bientôt sa gloire : la cité des doges règne sur le commerce maritime avec l'Orient et rivalise avec ses fastes. L'eau, toujours, fait Venise. Du XIIIᵉ au XIXᵉ siècle, églises et palais se reflètent sans cesse plus nombreux dans les canaux, et la Sérénissime, ville républicaine, règne sur les arts. Il faudra l'épopée napoléonienne pour mettre fin à sa gloire où brillèrent Vivaldi, Goldoni, et des peintres si nombreux que l'on n'ose en citer un seul. Alors un autre âge commence : celui de la Venise romantique et touristique, des gondoles et du pont des Soupirs, des pigeons quittant les coupoles de Saint-Marc pour recevoir la becquée devant ses portails.

Deux jardins de Marrakech

Aux portes de la ville impériale, l'immense bassin des jardins de la Ménara joue les oasis de silence et de paix, sur fond des montagnes enneigées de l'Atlas. En ville, les jardins Majorelle sont une autre forme d'oasis.

Loin de la médina grouillante de la grande ville du Sud, odorante et colorée, mais sous la même lumière solaire intense, les rangs d'amandiers s'alignent régulièrement. À des fins d'irrigation, les Almohades ont établi dès le XIIe siècle le grand bassin dont l'eau provient des montagnes. En revanche, l'élégant pavillon ne date que de 1886 ; il contribue à faire du domaine de la Ménara un jardin de plaisance, même s'il est aussi, discrètement, un centre d'études botaniques.

Les jardins Majorelle *(pages suivantes)*, eux, sont un havre de paix et de fraîcheur dans l'agitation urbaine. Peintre, le fils du décorateur célèbre les conçut autour de sa maison atelier dans les années 1920. Passionné de botanique, il y rassembla des essences rares qu'embaument les bougainvilliers. Fontaines et mosaïques y participent aussi à la présentation d'une version « moderne » des jardins islamiques.

Le monastère
de Xuankong Si à Hengshan

Monastère suspendu, dit-on, puisque accroché à une hauteur vertigineuse au flanc d'une falaise des gorges du Jinlong. De fait, le temple de Xuankong Si, en Chine, est d'abord une prouesse architecturale.

Balcons accrochés à mi-hauteur d'une falaise haute de 100 m, les bâtiments du monastère dominent la vallée du Jinlong depuis plus de 1 400 ans. Ils sont reliés par des passerelles de bois, l'ensemble étant protégé par des surplombs de rochers. Les quelques étais qui semblent les soutenir font illusion : en fait, de très solides poutres sont enfoncées profondément dans le rocher. Traitées par des huiles de bois rares, ces poutres résistent aux termites et à la corrosion. En outre, certaines salles sont creusées comme des grottes. Pèlerins et voyageurs y faisaient halte. Dans l'une des salles du monastère, le temple « des trois religions », trônent côte à côte les effigies de Laozi (Lao Tseu), Confucius et Bouddha.

Le palais de Schönbrunn

Schönbrunn, témoignage des fastes d'un empire d'opérette ?
Peut-être. Mais aussi le signe d'une puissance politique
exceptionnelle qui régna longtemps sur l'Europe.

Le château de Schönbrunn, aux portes de Vienne, a
été la résidence d'été des Habsbourg, la famille impériale d'Autriche, du XVIIIe siècle à 1918. Avant eux,
déjà, depuis que l'empereur Maximilien II avait
acheté le terrain en 1569, existait là une résidence
impériale. À la fin du XVIIe siècle, séduit par le faste
de Versailles, l'empereur Léopold Ier fit édifier le nouveau palais ; mais c'est l'impératrice Marie-Thérèse
qui, le remaniant, en fit le joyau du style rococo que
l'on admire encore aujourd'hui. Le parc, qui intégrait
depuis longtemps le premier jardin zoologique jamais
créé, prit alors aussi son aspect définitif. Pour la plupart des visiteurs, deux autres figures marquent les
lieux : l'empereur François-Joseph et son épouse
Élisabeth, la fameuse Sissi. Schönbrunn était la résidence principale et favorite des deux souverains.

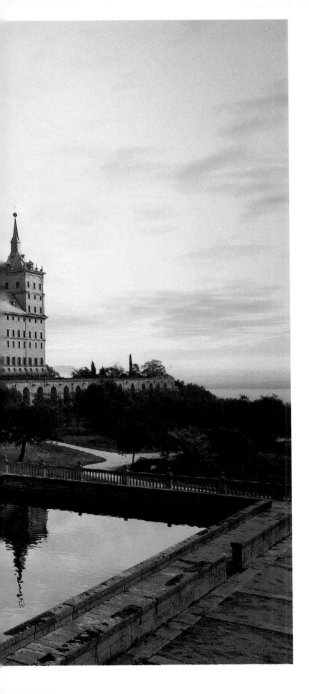

L'Escorial

Palais et couvent à la fois, austère sous le ciel de Castille,
l'Escorial est aussi la nécropole des souverains d'Espagne.

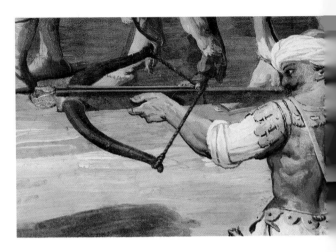

À quelques lieues au nord-ouest de Madrid, la masse sombre de l'Escorial révèle un édifice imposant, sobre et rigoureux, à plus de 1 000 m d'altitude au pied de la sierra de Guadarrama. En émergent la coupole et les clochers de son église. Son plan orthogonal dispose les bâtiments impressionnants (plus de 3 000 fenêtres !) autour de nombreuses cours, et évoque le dessin d'un gril : on dit qu'il faut voir là l'évocation du martyr du saint patron du lieu, saint Laurent. L'Escorial fut voulu par Philippe II à la suite d'un vœu fait lors de la prise de Saint-Quentin, en 1557, et pour servir de sépulture à sa famille, dont ses parents Charles Quint et Isabelle de Portugal. Édifié de 1563 à 1584, il abrite en effet 26 tombes royales. La décoration intérieure passe de l'austère au fastueux ; elle est caractéristique de l'iconographie religieuse d'après le concile de Trente et glorifie l'histoire espagnole.

Amritsar

*Amristar, au nord-ouest de l'État indien du Penjab,
st la capitale religieuse des sikhs. Ils y viennent en pèlerinage
au célèbre temple d'Or.*

C'est l'édification du temple d'Or, de 1573 à 1601,
qui entraîna la transformation d'une simple bourgade en véritable ville, alors même que naissait la
religion sikh. Monothéiste, celle-ci est un syncré-
tisme issu de l'hindouisme et de l'islam. La ville prit
le nom d'un bassin sacré : *Amrita-saras*, « le lac de
nectar ». De forme cubique, le temple d'Or abrite le
livre sacré des sikhs, le *Granth Sahib*. Détruit lors
d'une invasion afghane en 1757, l'édifice a été
reconstruit huit ans plus tard, et revêtu de feuilles
d'or au XIXe siècle. Après de cruels massacres perpé-
trés par l'armée britannique en 1919, Amritsar
a connu une nouvelle tragédie en 1984, lorsque
les troupes indiennes brûlèrent le livre sacré dans
le cadre de la répression d'un mouvement indépen-
dantiste penjabi assimilé à une révolte sikh.

Rizières en terrasses à Bali

*Sur Bali, l'île des dieux, ceux-ci veillent sur les rizières
étagées en petites parcelles au flanc des pentes.
L'eau ne manque pas, et c'est la végétation
qui dessine les courbes des digues retenant les cultures.*

Depuis plus de mille ans, on cultive le riz en terrasses à Bali, grâce à un habile système d'irrigation. On obtient trois récoltes par an, avec pour chacune, après les semailles sur un autre terrain, les labours et le foulage du sol, l'irrigation, le repiquage des pousses. Les rizières alimentées par une même source d'irrigation sont regroupées en subaks, coopératives villageoises qui gèrent la répartition de l'eau et des récoltes. Ces dernières sont toujours l'occasion de fêtes. On dit souvent qu'à Bali, le sacré est partout : il est aussi dans les rizières, où de petits autels sont consacrés à la déesse du riz ; des offrandes y sont régulièrement renouvelées afin d'obtenir une bonne irrigation et d'abondantes récoltes.

Une bédière au Groenland

Lorsque fondent les glaces de l'Inlandsis,
...orme calotte glaciaire du Groenland, les eaux se rassemblent
en torrents : ce sont les bédières.

Sur les glaciers du Groenland, le réchauffement de la
température à la fin de l'hiver fait fondre les couches
de glace superficielles. Les eaux de ruissellement
coulent alors dans les plis et replis de la glace, puis
forment de véritables torrents dont la puissance peut
surprendre. Ce sont les bédières, qui, sur des dizaines de kilomètres de longueur, peuvent atteindre des
débits de 50 m^3 par seconde. Le bruit des torrents,
des chutes d'eau, s'ajoute aux craquements et éclatements de la glace dont les Inuits disent qu'elle
chante : le spectacle est sonore autant que visuel. Les
« continents de glace » portent bien ainsi ce surnom,
présentant et relief, et réseau hydrographique. Il faut
cependant se souvenir qu'ils résistent à toute carto-
graphie très fine : tout s'y transforme sans cesse.

Sur la côte atlantique, à 85 km au sud de Dakar, la ville de M'Bour semble ne vivre que de la pêche ; mais une pêche toujours artisanale, pratiquée sur de grandes pirogues colorées qui font la joie des touristes photographes. Le retour de la pêche, en fin de journée, alors que le soleil commence à décroître et rend toutes les couleurs plus chaudes et chatoyantes, offre vraiment d'inoubliables images. Les filets, le plus souvent, débordent presque, et très vite le poisson se retrouve aux étals du grand marché ou sur n'importe quel coin du sol. Souvent aussi, il est mis à sécher avant d'être vendu. Ville foisonnante, fébrile et joyeuse, riche de tous les sons, couleurs, odeurs de l'Afrique de l'Ouest, M'Bour semble ainsi ne vivre que pour les échanges et le commerce chaque soir réactivés par le retour des pirogues aux couleurs vives tirées sur la plage.

Retour de pêche à M'Bour

*Au bord de l'océan, on repeint sans cesse les pirogues
sur la plage. Elles doivent être belles : elles sont la source
de la prospérité du deuxième centre de pêche du pays.*

Le mont Kangla Gachu

Il reste au nord du Bouthan des sommets himalayens inviolés.
Pour les populations locales, ils sont toujours
la demeure des dieux.

Situé entre l'Inde et le Tibet, le royaume du Bouthan
s'est affranchi de la domination indienne en 1949.
Son territoire de 47 000 km² s'étend au sud des plus
hautes chaînes de l'Himalaya et n'est que difficilement accessible. Ses 2 millions d'habitants comptent
beaucoup de Népalais, le pays n'échappant pas aux
mouvements de populations issus des malheureux
conflits politiques entre Inde et Pakistan, Chine et
Tibet, Bouthan et Népal… De la chaîne himalayenne,
le Bouthan possède plusieurs sommets encore inviolés : le terme est approprié, puisque la population y
voit la demeure des dieux où toute présence humaine
serait sacrilège. En 1992, une expédition française
réalisa cependant l'ascension du Kangla Gachu, haut
de 6 000 m, mais sans aller jusqu'à la cime extrême,
pour ne pas commettre l'irréparable.

Campo de Criptana

Sous le ciel de la province espagnole de Castilla-La Mancha,
les moulins sont des géants aux bras étendus.
Et des ennemis : c'est Don Quichotte qui l'affirme...

Trente-cinq moulins au XVIIIe siècle, dix aujour-d'hui, combien au temps de Don Quichotte ? Ils apparaissent, chaulés de blanc comme le bourg à leur pied, sur l'immensité de l'horizon de la Meseta, le grand plateau du centre de l'Espagne. Ciels lourds et souvent bas, terres infinies : le paysage fait immanquablement songer aux tableaux du Greco. Dans ce pays où tout est extrême, rien d'étonnant à ce que « le chevalier à la triste figure », Don Quichotte de la Manche, en mal d'adversaire et malgré les dénégations de son valet Sancho Pança, ait eu cette vision fantastique d'une armée de moulins... Dans un tel décor, leur blancheur est blafarde, et le grincement de leurs vieux rouages n'est que plainte. Plus concrètement, ils témoignent que la région fut longtemps le « grenier à blé » de l'Espagne.

L'archipel Vava'u

Aux îles Tonga, les sortilèges séducteurs de la Polynésie
opèrent peut-être encore plus qu'ailleurs :
le rêve y est, sans conteste, devenu réalité.

Essaim de petites îles perdues en plein Pacifique, les îles Tonga constituent un État bien peu connu. Qui sait le nom de sa capitale, Nuku'alofa ? C'est pourtant une petite métropole de plus de 21 000 habitants, avec palais royal, ministères et toutes les administrations nécessaires à la gestion de 171 îles dont, il est vrai, une quarantaine sont inhabitées. Cet État de rêve se partage en trois groupes d'îles : les îles Vava'u au nord, les îles Ha'apai au centre et les îles Tongatapu au sud. Outre les activités traditionnelles – un peu d'agriculture et de la pêche –, le tourisme s'y développe tandis que se maintient la culture des perles. Parfois, comme ici dans les îles Vava'u, une érosion millénaire a placé un rocher en équilibre sur le miroir des eaux du lagon à l'étonnante transparence.

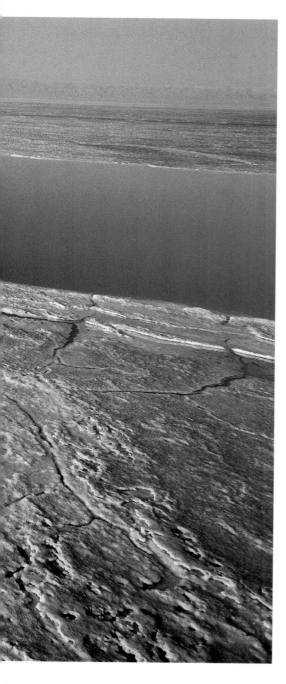

Le lac salé du chott el-Djerid

Un miroir où éclosent parfois des mirages,
et une immensité où se perdirent, raconte-t-on encore,
des caravanes de milliers de chameaux...

Au cœur de la Tunisie, entre le golfe de Gabès et la
frontière algérienne, s'allonge sur plus de 300 km
une série d'anciens lacs salés dont le plus vaste
est le chott el-Djerid, grande dépression stérile
(*sebkha*) de 50 000 km² située entre 15 et 20 m en
dessous du niveau de la mer. Sous le poids des
dépôts sédimentaires, le sol s'est affaissé (c'est le
phénomène de subsidence) puis l'évaporation des
eaux, depuis le quaternaire, a laissé en surface des
dépôts de sel, au-dessus d'argiles craquelées par la
sécheresse. D'où cette immensité blanche et brillante, où la forte réverbération du soleil produit les
mirages ; on croit alors apercevoir non loin une
oasis ou une étendue d'eau rafraîchissante...

La kasbah de Tamdaght

Aux lisières extrêmes du grand Sud marocain,
non loin de Ouarzazate, les citadelles de terre
élèvent leurs tours comme un dernier signal de la présence
humaine : ce sont les ksours, villages fortifiés,
et les kasbahs, maisons fortes.

Ces très séduisantes constructions de terre crue, sans âge parce qu'ancestrales, fragiles et réclamant un entretien constant, suscitent depuis quelques années un réel engouement et sont peu à peu restaurées. Il est vrai que leurs formes sont belles, et s'inscrivent parfaitement dans les paysages ocre ponctués du vert des vallées ou des oasis. On en compte plus de deux mille dans le Sud marocain. Celle de Tamdaght, palais fortifié assailli d'amandiers et de figuiers, fut l'une des très nombreuses demeures du Glaoui (1878-1956), le pacha de Marrakech placé par Lyautey à la tête de l'administration de tout le Sud marocain.

Les « montagnes bleues »

Izouzaouene : un nom à la consonance tamacheq,
la langue des Touaregs, les « hommes bleus ». Alors on se laisse
aller à leur associer ces roches amassées dont la couleur bleue
surprend au milieu des bruns et des ocre du Ténéré.

La fantaisie de la nature est sans limite. Quel peintre aurait imaginé poser au milieu des sables quelques touches de bleu intense comme celles qu'apporte ici, près d'Illakane, au nord du Ténéré, un marbre puissamment coloré de carbone et d'oxydes divers ? Un témoignage de l'infinie richesse géologique du Sahara, qui développe dans cette contrée toute la palette des couleurs de ses roches, sur fond de sables eux-mêmes jaunes, roses ou blancs.

L'Arc de triomphe de l'Étoile

*Jamais un triomphe n'est modeste, bien sûr ;
mais ici, l'arc monumental est tellement bien inscrit
dans l'urbanisme parisien,
que l'on oublie presque les victoires
napoléoniennes qu'il commémore.*

Voulu par Napoléon pour commémorer les victoires de la République et de l'Empire, l'arc de triomphe érigé à partir de 1806 au centre de la place de l'Étoile – devenue place Charles-de-Gaulle – est associé depuis à l'histoire militaire et politique de la France. Déjà manifesté par les bas-reliefs de l'arc, dont la fameuse Marseillaise de Rude, le patriotisme se focalise depuis 1921 autour de la tombe du soldat inconnu, héros anonyme de la première guerre mondiale. Défilés militaires, investitures des Présidents de la République : au bout des Champs-Élysées, l'arc est bien un lieu emblématique de la conscience nationale française.

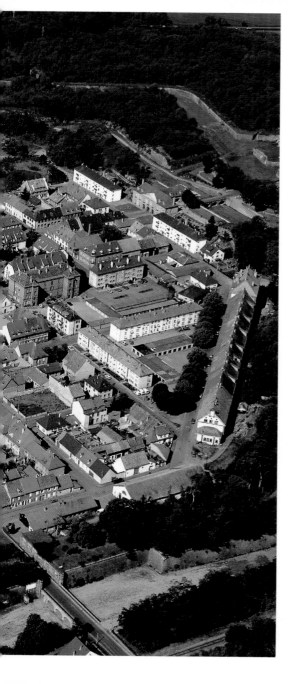

Neuf-Brisach

Le Rhin marque la frontière, mais n'est pas vraiment une défense en ces contrées d'invasions. Alors la géométrie défensive inscrit ses traits réguliers dans le paysage, posant dans la plaine une ville nouvelle.

Magistrale création de Vauban se substituant à Brisach, d'origine médiévale, Neuf-Brisach fut édifiée entre 1699 et 1709 pour être une ville de garnison et de défense de la France face à l'Allemagne. Par son plan en octogone organisé autour de la place d'Armes et par son système de fortification, la cité relève de la doctrine la plus élaborée du grand ingénieur militaire. Des murs bastionnés très épais (4,5 m à la base) protègent une deuxième enceinte de casemates ; quatre portes donnent accès aux blocs de dix maisons et aux casernes disposés en un plan très régulier.

Le cratère du volcan Erta'Alé

En Éthiopie, l'Erta'Alé est l'un des trois seuls volcans du mond
à posséder un lac de lave en fusion dans son cratère.

À une triple intersection de plaques tectoniques, la région volcanique des Afars, en Éthiopie, est totalement désertique. Au pied et sur les pentes de six volcans, les sols de lave, basalte, rhyolite, trachyte, sont désespérément nus. Relativement peu élevé (600 m d'altitude), avec des pentes douces, l'Erta'Alé fascine les vulcanologues pour son lac de lave. En activité, il se transforme sans cesse, le cratère – une caldeira d'effondrement – débordant parfois ou, le plus souvent, se subdivisant en plusieurs puits de profondeur variable. Certains de ces puits peuvent être emplis de lave solidifiée et d'autres, en même temps, de lave en fusion.

Au Groenland

Sans autres règles apparentes que son bon vouloir,
la nature crée puis détruit. Le vent, le froid forment et déforment
les images fascinantes du Groenland.

Imprévisibles, les vents froids ont contribué à densi-
fier, à solidifier la neige ; pourquoi plus ici qu'ailleurs ? Pourquoi en créant cette forme plutôt
qu'une autre ? L'hiver passé, plus doux, ils font au
contraire fondre peu à peu le bloc de neige, lui don-
nant des formes et un équilibre aléatoires. On serait
presque tenté de rester là et d'observer, d'attendre
l'instant où tout, d'un seul coup, basculera… Dans
un lac – comme ici –, il suffit que le niveau de l'eau
diminue pour que des formes étranges apparaissent.
Et les paysages, alors, ne cessent de vivre : demain,
ils ne seront plus les mêmes.

Coulée de lave
au Piton de la Fournaise

Glissant à une vitesse qui peut parfois atteindre 70 km/h,
la lave rougeoyante exprime la force irrépressible des éléments
primordiaux : heureusement, le spectacle, grandiose, est depuis
des années sans danger pour les Réunionnais.

Tandis qu'un cône éruptif illumine l'horizon, une longue coulée de lave avance sur la pente du Piton de la Fournaise, l'un des deux volcans de l'île de la Réunion. De formation entièrement volcanique, l'île est située à 700 km à l'est de Madagascar, dans l'océan Indien. Si le Piton des Neiges, haut de 3 069 m est endormi, le Piton de la Fournaise (2 632 m), lui, est en pleine activité. C'est un volcan effusif, où le magma accumulé à moins d'un kilomètre de profondeur s'échappe irrégulièrement par des fissures et des cratères multiples.

Marrakech :
la place Jemaa el-Fna

Aussi nombreux soient-ils, il semble que les touristes
e parviendront jamais à faire perdre son authenticité à la place
Jemaa el-Fna. Sans cesse renouvelés au long de la journée,
ses spectacles les réjouissent autant que les autochtones.

Sans doute l'une des places les plus célèbres du
monde, Jemaa el-Fna est comme le poumon de la
médina de Marrakech. Jaillissant du dédale resserré
de ses ruelles, quittant les souks aussi divers que
séduisants, la foule y gonfle en fin de journée. Alors
s'allument les feux des cuisines de plein air qui vont
alimenter des repas nocturnes. Les charmeurs de
serpent, les porteurs d'eau, les musiciens et les
conteurs, les femmes artistes du henné, les marchands ou les désœuvrés de toutes sortes sont encore
là. Depuis le matin ils ont fait vivre la place comme
autrefois, comme toujours, dirait-on, offrant une
image du Maroc que l'on croit intangible et presque
éternelle. À leur manière, ils suscitent aussi l'atmosphère envoûtante de la capitale du Sud marocain
qui ne cesse d'attirer et de séduire des visiteurs
venus de partout toujours plus nombreux.

Paysage volcanique
en Islande

Qui soupçonnerait, sous ces pentes verdoyantes du Jokuldalir
la violence des bouleversements volcaniques ? Pourtant,
l'Islande toute entière en est issue...

Près de 80 % du territoire islandais est constitué de
déserts, de glaciers, de volcans. Dans la région du
Jokuldalir, ces derniers sont souvent recouverts de
mousses aux couleurs si intenses qu'on les croit parfois fluorescentes : vert cru, jaune citron, orange vif.
Des tons surprenants dans un univers volcanique
généralement terne et foncé, parure végétale fragile
qui triomphe de la masse noire des coulées de lave.
Il reste que, même sous le jour permanent de l'été et,
bien plus, pendant la longue nuit hivernale, ces
contrées conservent une austérité grandiose.

Le cratère du Rano Kao

*Curiosité naturelle, le cratère du Rano Kao
était sans doute aussi un haut lieu religieux
pour les premiers Polynésiens
débarqués sur l'île de Pâques.*

i l'île de Pâques, à plus de 3 000 km du Chili, est
onnue pour ses mystérieuses et colossales statues
e pierre, elle offre aussi, malgré son aridité, des
ites naturels remarquables. Ainsi le cratère du vol-
an Rano Kao, l'un des trois volcans de l'île. Pro-
ond de 200 m, son diamètre dépasse 1,5 km. Il est
empli d'eau douce et en grande partie couvert de
égétation, et les roches qui l'entourent sont sculp-
ées de figures de l'Homme-oiseau, l'incarnation du
ieu Makemake des premiers habitants de l'île. En
utre, des fragments pointus de lave et des cavités
'inscrivent dans des alignements parfaits d'ombre
t de soleil aux solstices d'été et d'hiver, faisant du
olcan et de ses abords un gigantesque cadran
olaire ou calendrier. Ainsi se mêlent là croyances
eligieuses et approches astronomiques, d'une civili-
ation encore bien mystérieuse.

Santorin

Santorin, c'est un volcan dans la mer et des rêves d'Atlantide ;
c'est aussi une île grecque sèche et rousse entre les bleus
du ciel et de la mer, avec juste les maisons qu'il faut
pour apporter de la blancheur.

Platon lui-même laisse entendre que Santorin, petite île grecque des Cyclades perdue en mer Égée et habitée dès 1450 av. J.-C., ne serait autre qu'un vestige de l'Atlantide, le mystérieux continent perdu. En tout cas, les plus éminents spécialistes s'accordent pour reconnaître un terrible séisme à l'origine de la formation de l'île. Ses conséquences ont dû se faire sentir dans tout l'Est méditerranéen, dix-sept siècles avant J.-C. ; d'où bien des mythes et des légendes confortés parfois par l'archéologie. En abordant au port, l'île apparaît nettement comme une portion de paroi d'un énorme cratère. En bas, au ras de l'eau, quelques maisons près desquelles on accoste ; au sommet de vertigineuses parois presque verticales, les maisons chaulées de blanc de l'agglomération principale. Entre les deux, le sentier raide que parcourent ânes et touristes.

Great Ocean Road

Ruban d'asphalte de 3 000 km de long,
la « route du Grand océan » est, en Australie, un peu comme
la « route 66 » aux États-Unis, une route mythique.
Mais elle est le plus souvent côtière,
alors que l'autre traverse le continent américain.

À la mesure de l'Australie – c'est-à-dire... sans mesure ! – la Great Ocean Road conduit de superlatif en superlatif, l'océan lui fournissant la plupart de ses grandioses paysages au long de la côte Sud-Est de la Grande île. Elle a été tracée entre les deux guerres, quand d'importants travaux tentaient de conjurer le chômage de la dépression économique. Aujourd'hui, elle est un haut lieu du tourisme australien. Elle permet de découvrir souvent des formes rocheuses titanesques, comme les Douze apôtres, qu'un éboulement en juillet 2005 a réduits au nombre de huit, ou d'impressionnantes falaises ; ailleurs, la route pénètre de profondes forêts où chutent des cascades ; ailleurs encore, les plages sont réputées pour la baignade et, surtout, le surf. Mais partout la nature se fait spectacle, un spectacle grandiose et inoubliable.

Pétra

*Pétra, nichée dans des creux montagneux du désert,
est toute de grès rose, rouille, jaune ou parfois gris bleuté.
Plus de 600 monuments y sont taillés dans la pierre.*

Pétra, en Jordanie, est une ancienne cité créée au
VIIIᵉ siècle av. J.-C. par les Nabatéens. Ce fut une
étape importante des routes caravanières entre la
mer Rouge et la mer Morte. Mais les Romains,
l'ayant prise, la laissèrent tomber en décadence
alors qu'ils privilégiaient avec l'Orient les transports
maritimes. Les maisons et monuments de Pétra sont
soit construits, soit creusés dans les parois d'un
cirque et de défilés rocheux. Un très habile système
de canalisations et de bassins alimentait la ville en
eau. On découvre d'imposantes façades aux carac-
tères hellénistiques classiques mêlés d'influences
orientales, à peine détachées de falaises hautes
de 100 m. Ce sont les entrées de tombeaux royaux
réalisés au 1ᵉʳ siècle av. J.-C., comme la plus
fameuse, dite du « Trésor », popularisée par
le cinéma, la bande dessinée, la publicité…

Le pont de la Calahorra
à Cordoue

*On le dit romain, mais c'est pour évoquer sa lointaine origine :
le vieux pont de Cordoue a été reconstruit par les Maures.
Il garde encore aujourd'hui son aspect défensif médiéval.*

Si l'illustre mosquée, sa forêt de colonnes et ses arcs
aux pierres bicolores, font la renommée de Cordoue,
l'histoire de l'Andalousie où purent cohabiter les
trois communautés, juive, chrétienne et musulmane,
est partout présente dans la ville. La vieille tour de
la Calahorra abrite aujourd'hui un musée des Trois
Cultures : contre vents et marées, le souvenir de ce
temps exceptionnel demeure une référence. Les
seize arches du pont de pierre que défend la tour
enjambent le Guadalquivir, le grand fleuve mythique andalou tellement chanté par les poètes, et
notamment par Federico Garcia Lorca. Près du
pont, une gigantesque noria a été reconstituée : elle
relevait autrefois l'eau du fleuve pour alimenter les
fontaines et les bassins des jardins et du palais
de l'Alcazar autour desquels s'épanouissait un art
de vivre des plus raffinés.

La baie de Cook

*Parfaitement dessinée, la baie – l'une des deux de l'île –
n'est qu'harmonie de formes et de couleurs. En plein Pacifique Sud
Moorea est l'une des perles de la Polynésie française.*

Au sud de l'océan Pacifique, 17 km à l'ouest de
Tahiti, l'île de Moorea appartient à l'archipel de
la Société. Franchissant la barrière de corail qui l'entoure, les marins de Willis en 1767, puis de Cook en
1769, explorent l'île. Cook lui-même mouillera
dans la baie qui porte désormais son nom en 1777.
Moorea est donc alors possession anglaise ; elle
deviendra française en 1843. Les premiers colons
tentèrent de développer sur l'île la culture et l'indus-
trie sucrière, sans grand succès. Après le coprah et le
café, l'île est surtout aujourd'hui productrice d'ananas. Le tourisme est l'atout majeur : la transparence
de l'eau est extraordinaire, et les montagnes verdoyantes – le point culminant dépasse les 1 200 m.
Comme au creux de la baie de Cook, le sable des plages est d'une blancheur éclatante tandis que les fonds
sous-marins séduisent les adeptes de la plongée.

Pipiting

Village de plaine à 3 500 m d'altitude, Pipiting est,
dans sa simplicité, bien caractéristique
des vallées du Ladakh.

Dans la plaine du Zanskar, ici relativement large,
le village de Pipiting est entouré de cultures qui
donnent quelques couleurs à la plaine. Mais il est
surtout dominé par les premières pentes des hauts
sommets himalayens. Elles s'amorcent juste derrière
le village par une curieuse colline en forme de cône
assez régulier au sommet de laquelle est érigé un
chorten, repère et monument religieux. Mais comme
dans toutes les régions himalayennes, la religion est
partout : sur la pente se trouve aussi un modeste
temple, orné de fresques. Depuis quelques années,
Pipiting est un centre scolaire important pour toute
la région, grâce à la présence et à l'aide internationale d'organisations non-gouvernementales, notamment françaises.

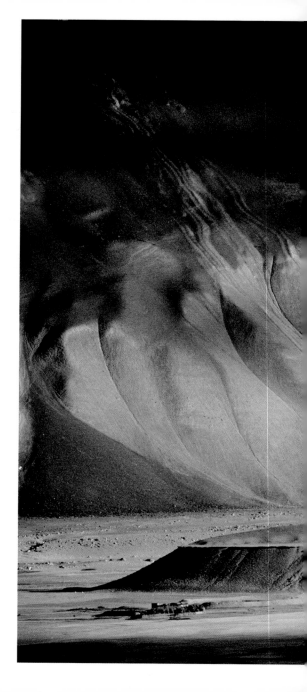

Les Météores,
monastère de la Sainte-Trinité

Au cœur de la Grèce, des moines se sont isolés au Xe siècle au pied de gigantesques pitons rocheux. À partir du XIVe siècle, ils se réfugièrent au sommet pour se protéger des Turcs.

Avec une incroyable audace et bravant d'énormes difficultés matérielles, ils construisirent de véritables monastères sur les très étroites plates-formes sommitales dont certaines atteignent 300 m de hauteur : les Météores, *Metaora monasteria*, « monastères suspendus dans le ciel » étaient nés. Plus que des roches tombées du ciel, comme le croyaient les Anciens, les Météores sont d'énormes blocs de grès formés par l'érosion et les mouvements sismiques il y a des centaines de milliers d'années. Parmi une soixantaine de ces pitons, 24 portaient un monastère au XVe siècle. Cinq sont encore occupés aujourd'hui, dont le monastère de la Sainte-Trinité *(Hagia Triáda)*, fondé en 1476 et auquel on accède par un couloir taillé dans le roc.

Le château
de Neuschwanstein

Le XIXᵉ siècle a revisité le Moyen Âge à la lumière du romantisme :
poussé à l'extrême, là est la source du délire architectural
que représente le château de Neuschwanstein.

Louis II de Bavière n'est plus un enfant en 1869, quand commence la construction de son château, nid d'aigle planté sur le roc au-dessus de sombres forêts, au plus près des Alpes bavaroises. Il a 24 ans, et règne depuis cinq ans. Est-il fou ? Certains le pensent ; il est excentrique, au moins, avouant lui-même vouloir rester un mystère pour l'Histoire… Surprenant, son château, qui inspirera celui de *la Belle au bois dormant*, de Walt Disney, est un peu à son image. Aux yeux du jeune roi, qui ne peut vivre que dans l'illusion, loin du réel, le château ne doit avoir d'autre inspiration que celle des racines profondes de l'Allemagne. Des racines que son idole, Richard Wagner, révèle si bien dans ses opéras. Il n'y vivra que deux ans, avant une mort qui reste mystérieuse, en 1886. Neuschwanstein demeurera alors inachevé.

L'oasis de Ghardaïa

Ghardaïa est « la porte du désert ». Les attraits de son oasis, la fraîcheur de ses ruelles n'en sont que plus appréciables.

À 600 km au sud d'Alger, la vallée du Mzab est aux portes de l'immensité saharienne. Son décor rocheux souvent grandiose héberge de superbes oasis irriguées par un habile réseau de petits canaux. Ocre, blanc et bleu, des bourgs fortifiés anciens sont perchés sur des hauteurs. Ghardaïa est la « capitale » du Mzab, région aux traditions riches et préservées. Au-dessus de la palmeraie, les murailles enserrent les constructions traditionnelles concentriques qui assaillent la mosquée principale. Une « ville d'été » est bâtie hors les murs. L'architecture mozabite (du Mzab), faite de maisons cubiques à terrasses, en briques crues enduites et reliées par d'innombrables passages couverts, a inspiré l'architecture moderne occidentale par la simplicité de ses formes et son fonctionnalisme.

L'église de la Salute à Venise

Depuis les quais jouxtant la place Saint-Marc, la haute masse blanche de l'église de la Salute marque l'entrée du Grand Canal. Fleuron du baroque vénitien, elle rend grâce à la Vierge qui mit fin à une terrible épidémie de peste en 1630.

On doit les plans de cette église octogonale, élevée de 1631 à 1687 et couverte de deux coupoles, à Longhena. Sa silhouette est comme un signal monumental à l'entrée du Grand Canal, ou comme une sainte protection pour les gondoles amarrées à deux pas de la place Saint-Marc. On dut asseoir l'édifice sur plus d'un million de poteaux de bois plantés dans le sol instable de la lagune ! Ce système est utilisé partout dans Venise, qui doit toujours lutter contre les eaux, source pourtant de son exceptionnel attrait, comme durant des siècles de son éclatante prospérité. Mais c'étaient alors les eaux du large plus que celles de la lagune et des canaux, celles des mers et des océans, ouvertures sur le monde.

Les temples de Karnak

Sur les bords du Nil, à quelques kilomètres de Louxor
– la partie méridionale de l'ancienne Thèbes –,
Karnak a sans doute été le centre religieux le plus important
de l'Égypte ancienne.

Le site appelé aujourd'hui du nom arabe de *al-Karnak*, « le village fortifié », était au temps de l'Égypte antique *Ipet Sout*. Enceintes sacrées et temples y étaient nombreux, édifiés semble-t-il à partir du sanctuaire du dieu local Montou, le dieu faucon. On y vénérait dans le plus grand temple, parmi d'autres divinités, le dieu Amon. Tout le site était grandiose et prestigieux : notamment à l'initiative de trente pharaons, on ne cessa de l'embellir et de l'agrandir durant 2 000 ans, de la XIᵉ dynastie jusqu'à l'époque ptolémaïque. Chaque souverain tenait à inscrire ici son pouvoir sous le patronage des divinités, et à laisser sa marque dans cet ensemble religieux très vaste et complexe. Redécouvert au XVIIIᵉ siècle, le site de Karnak sera dégagé et étudié à la suite de l'expédition égyptienne de Bonaparte.

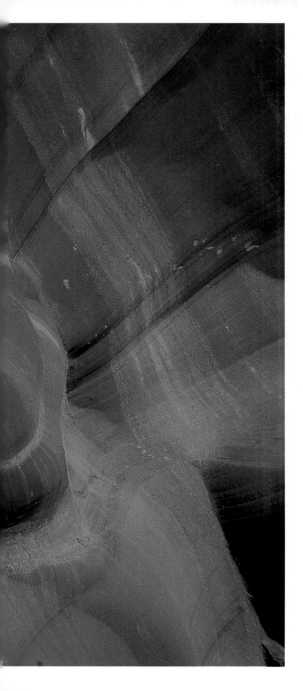

Antelope Canyon

*Relativement modeste par rapport aux grands parcs
naturels américains, Antelope Canyon, au nord de l'Arizona
et dans le territoire des Indiens Navajos
est aussi beaucoup moins connu.*

Certes, les proportions n'ont rien à voir ici avec celles de l'illustre grand canyon du Colorado : alors
que l'on a à peine aperçu une petite faille dans le
plateau, on y descend – toujours accompagné par
un Navajo – par une succession d'échelles disposées
dans un boyau étroit. Parvenu au fond, à environ
seulement 50 m de profondeur, la largeur du canyon
n'est parfois que de 3 m... Les formes étranges,
les jeux de lumière et d'ombre, de couleurs aussi,
donnent l'impression de circuler au cœur même
d'une sculpture de grès au fond de laquelle, entre
sable et boue, se glisse un cours d'eau. Mais il faut
se méfier de celui-ci : une forte pluie suffit pour faire
grossir subitement son cours, au risque de devenir
très dangereux pour les randonneurs ; onze d'entre
eux ont ainsi trouvé la mort en 1997.

Rivière au Monténégro

Qu'elles soient torrentueuses ou sereines, partout dans le monde comme ici au Monténégro, les rivières s'inscrivent dans le cycle général de l'eau, vital pour la planète, pour la nature et pour les hommes.

Les rivières participent à une sorte de recyclage permanent entre évaporation, formation des nuages, des pluies et de la neige, chutes sur et dans les sols, renaissance sous forme de sources, puis formation des rivières et des fleuves conduisant les eaux jusqu'aux océans. Un cycle qui dépasse la perception humaine. Dépassant aussi tous nos repères temporels, se mesurant en millions d'années, les rivières modèlent les paysages : elles creusent, sapent, érodent, osant parfois renoncer aux amples vallées pour risquer d'affronter de solides masses rocheuses. Alors elles creusent de profondes gorges au fond desquelles l'humidité qu'elles apportent autorise un peu de végétation. En même temps, dans un registre d'actions à la mesure de l'homme, elles drainent, irriguent, fertilisent. Dans tout paysage, elles manifestent la possibilité de la vie.

Darjeeling

Un nom de thé ? Certes. Mais d'abord celui d'une ville et de sa région, en Inde du Nord, au Bengale.

Les Anglais ont fait la célébrité du thé de Darjeeling, l'un des plus appréciés des thés noirs de l'Inde. Il pousse sur les pentes verdoyantes de la région, autour de 2 500 m d'altitude, en avant de l'impressionnant massif de l'Himalaya. On en produit annuellement environ 10 000 tonnes, même si on en commercialise dans le monde plus de 40 000 tonnes : en cette matière aussi, la contrefaçon est en vogue… La ville de Darjeeling, qui appartint aux monarques du Sikkim puis aux Gurkha et que l'on voit ici en période de mousson, était une station climatique de l'armée coloniale britannique. Elle accueille aujourd'hui une forte immigration népalaise. À une dizaine de kilomètres, la colline de Tiger Hill offre l'un des plus grandioses panoramas sur la chaîne principale de l'Himalaya, avec notamment les sommets de l'Everest et du Kangchenjunga.

La porte Wumen de la Cité interdite

Les empereurs de Chine étaient « fils du Ciel »
et leur immense cité impériale de Pékin, le centre de l'Univers.
Devant ses murs, le peuple à qui elle était interdite
imaginait les fastes du pouvoir. Aujourd'hui, elle est le monument
le plus visité de Chine.

Durant 490 ans, 24 empereurs des dynasties Ming
et Qing se sont succédé dans la Cité interdite,
construite entre 1407 et 1420. Inaccessible au plus
grand nombre, elle est alors ceinte d'un rempart
long de 3 km où s'ouvrent, aux quatre points
cardinaux, quatre portes. Celle du Midi (ou du
Méridien), la porte Wumen, est la principale et la
plus grande, accessible depuis la fameuse place
Tian'Ammen. Cette porte est un quadrilatère
cantonné de quatre pavillons, un cinquième
s'élevant au centre, sur la façade principale. Leurs
doubles toits, nobles et protecteurs, leur confèrent
une silhouette bien particulière. La porte centrale
était celle de l'empereur – l'impératrice même ne
pouvait la franchir que le jour de son mariage –, les
autres étaient réservées aux ministres, à la famille
impériale, aux officiers et hauts fonctionnaires.

L'erg de Mourzouk

Comme depuis des millénaires, le ghibli,
*vent chaud de Libye, continue de tracer les amples
et souples courbes des crêtes permettant au soleil de jouer
de l'ombre et de la lumière.*

Mieux vaudrait nommer cette très vaste zone
dunaire l'*edeyen* (ou *idehan*) de Mourzouk, puisque
tel est le nom des ergs en Libye. Mais qu'importe le
nom : voici l'une des plus grandes étendues de
dunes du Sahara, couvrant plus de 58 000 km²
dénués de toute oasis, au sud-ouest du pays et à l'est
du massif algérien du Tassili n'Ajjer. Du sable, rien
que du sable, toujours du sable, dessinant des formes d'une élégance absolue. Il y eut pourtant, au
nord de la zone, une ville étape pour les caravanes ;
par un étonnant paradoxe, ce sont des pluies dilu-
viennes qui achevèrent de la ruiner en 1939 !

Yosemite national Park

Parc de montagne et non de désert, Yosemite est
l'un des plus séduisants parcs naturels de l'Ouest américain.
La végétation y renforce l'intérêt du cadre géologique.

Au cœur de la sierra Nevada, en Californie, à
500 km au nord de Los Angeles, le parc de Yosemite
a été institué en tant que tel en 1890. Il couvre une
superficie de 3 000 km². Ses reliefs granitiques –
dont la plus haute falaise du monde, une paroi de
1 000 m –, ses sommets, ses dômes, ses blocs
rocheux, ses rivières et ses cascades, ses forêts
de séquoias, sa faune et sa flore en démultiplient
l'intérêt. Une présence indienne est attestée sur
le territoire il y a 4 000 ans ; après la colonisation,
à la fin du XIXᵉ siècle, elle a été notablement réduite
avec l'arrivée des trappeurs et des chercheurs d'or.
On a dénombré dans le parc plus de 1 000 espèces
de plantes et 400 d'animaux : des ours, des coyotes
et des renards, des biches, des mouflons, des écu-
reuils, des marmottes et… des ratons laveurs, ainsi
que d'innombrables oiseaux.

L'île de la Digue

Un autre lieu, un autre temps, loin des fracas du monde.
Le frémissement d'une mer que l'on veut croire toujours calme,
le chant des oiseaux, les couleurs des fleurs, et juste ce qu'il faut
de nonchalance. Une île de bonheur, en un mot.

L'île de la Digue appartient à l'archipel des Seychelles, plus d'une centaine d'îles de l'océan Indien qui servaient d'escale au Moyen Âge à des commerçants arabes. Bien agréable escale, dans les décors de rêve où les plages s'allongent sous les cocotiers et invitent plus au farniente qu'à la gestion des affaires. Les Seychelles sont aujourd'hui un État indépendant, francophone et membre du Commonwealth. De toutes ces îles merveilleuses, celle de la Digue est un peu l'emblème. On n'y circule qu'en bicyclette ou en char à bœufs traditionnel ; il est vrai que les distances sont courtes : l'île ne dépasse pas les 10 km². Comme pour mieux s'inscrire dans la douceur ambiante, les rochers, aux tendres couleurs roses, ont été érodés, perdant toute aspérité. En arrière des côtes, la forêt tropicale abandonne tout caractère effrayant : vraiment, ici, tout est sérénité.

Bruges

La saisissante poésie de Bruges doit beaucoup à ses canaux,
tout autant sans doute qu'à la préservation d'un patrimoine ancien
qui est toujours le cadre de vie quotidien des habitants.

Ville dont la prospérité vint du commerce, cité religieuse où sont nombreux monastères et églises, foyer
artistique aussi, l'un des plus importants pour la peinture flamande de la fin du Moyen Âge : Bruges a
de quoi séduire. Les peintres et les poètes en ont goûté
le charme, les touristes, aujourd'hui, y succombent.
La « Venise du Nord » est à l'origine un petit port sur
un canal auprès d'un château fort, un chenal la reliant
directement à la mer à partir du XIIe siècle. Aux XVe et
XVIe siècles, par mer ou par terre, Bruges commerce
avec tout le monde connu, mais l'ensablement du chenal, l'essor d'Anvers puis la domination espagnole
entraînent le déclin de la ville. Cependant, le cadre en
grande partie médiéval demeure : c'est sur lui, sur les
canaux ou la paix du béguinage que repose la vision
un peu nostalgique ou romantique de la ville belge.

Le stupa de Bodnath

Le stupa de Bodnath est le plus grand du Népal ; il est un important lieu de pèlerinage, notamment pour de nombreux fidèles tibétains réfugiés dans la région de Katmandou.

Le plus souvent constitué d'une coupole surmontée d'une pyramide tronquée, le stupa est un monument bouddhique représentant symboliquement le Bouddha et commémorant sa mort. Il était constitué à l'origine d'un simple tas de pierres, les premiers stupas abritant d'authentiques reliques du Bouddha. La coupole du stupa évoquerait un bol à offrandes retourné ; elle est surmontée de mâts portant des drapeaux sacrés. Le stupa est entouré d'un cheminement circulaire que l'on doit parcourir toujours dans le sens des aiguilles d'une montre. Très largement diffusé dans tout le monde bouddhiste, le stupa subit des variations locales de forme : au Tibet, il prend une forme de bulbe, et le nom de *chorten* ; en Asie du Sud-Est, il a la forme d'une cloche. Lieu de pèlerinage, Bodnath comporte aussi de nombreux monastères.

Étrange Victoire

*Comme celle de Samothrace, elle étend ses ailes face
à d'autres sculptures… Le désert a ici son musée,
et la blancheur des formes posées là ne cesse de surprendre.*

Maître sculpteur du désert, travaillant le sable
comme le roc, le vent s'est ici attaqué à un calcaire
étonnement blanc, illusion d'une improbable neige
sous une chaleur de 50° C… Au cœur de l'Égypte,
en bordure du désert libyque, il a projeté depuis des
millénaires d'infimes particules de sable dur agis-
sant comme un puissant abrasif sur des roches plus
tendres. On sait que les vents d'hier étaient largement plus puissants qu'aujourd'hui ; leur action est
certes désormais ralentie, mais elle se poursuit : on
estime entre 100 et 200 millions de tonnes les
particules déplacées chaque année !

La cité de Carcassonne

Un Moyen Âge de cinéma ? Non, la cité de Carcassonne,
aussi restaurée qu'elle ait été au XIXᵉ siècle,
demeure un exemple authentiquement évocateur d'une ville médiévale.

Au-dessus d'une « ville neuve » établie au bord de
l'Aude à partir du XIIIᵉ siècle, la cité de Carcassonne
doit à l'architecte Viollet-le-Duc de nous offrir
encore la découverte d'une ville fortifiée médiévale.
Il la restaura au XIXᵉ siècle et lui redonna son unité
de style. Deux enceintes et 52 tours, un superbe
château comtal dressé sur des substructions gallo-
romaines, une cathédrale romane et gothique : tout
le Moyen Âge est là, datant principalement des XIIIᵉ
et XIVᵉ siècles, attirant des foules considérables de
visiteurs dans un site d'une rare homogénéité.

Monument Valley

Non, tous les westerns n'ont pas été tournés ici…
Ni toutes les publicités de cigarettes américaines… Mais partout
dans le monde, on reconnaît les formes majestueuses
des rochers colossaux posés sur l'horizon immense de l'Ouest

Les « monuments », ici, ne sont pas œuvres humaines. La nature, une fois de plus, a joué les sculpteurs, et dans le registre vraiment monumental, en laissant apparaître sur d'immenses étendues quasiment désertiques des blocs rocheux titanesques de forme souvent tabloïde. Ce sont en fait des reliquats d'une énorme couche de grès qui recouvrait toute la région, au sud de l'Utah et au nord de l'Arizona, en pays navajo. Bouleversée, ravinée, érodée, elle n'a laissé que les roches les plus dures, d'abord sous forme de petits plateaux, les *mesas*, puis de buttes, puis de flèches. À la dernière étape, le grès devient sable, ce sable que soulevèrent les galops de *La Chevauchée fantastique*, de John Ford, en 1938, ceux de *Il était une fois dans l'Ouest*, de Sergio Leone, en 1968, et de tant de films inspirés par l'épopée de la conquête de l'Ouest.

L'Ayantepui

*Il fallait que le ciel lourd et bas jouât son rôle pour donner
à ce paysage au sud-ouest du Venezuela sa grandeur étrange
et mystérieuse. Un paysage hanté depuis les années 30
par les chercheurs d'or et de diamants.*

Dans le parc national de Canaimana, l'Ayantepui –
un nom indien – est un énorme massif montagneux
aux formes impressionnantes, formé de reliefs tabu-
laires de roches gréseuses, les *tepuis*. L'Ayantepui,
c'est « la montagne du diable », étendue sur 700 km²
à plus de 2000 m d'altitude et où poussent des plantes carnivores… Tout prend ici des allures fantastiques : ainsi, par exemple, après s'être annoncées par
des effets de nuages dantesques, des pluies diluvien-
nes forment en quelques minutes de grandes cascades qui dévalent vers la rivière principale, le rio
Carrao. L'une de ces cascades, le *Salto del Angel*,
« le Saut de l'Ange », est parmi les plus hautes du
monde : elle dépasse 900 m. Sous ces dehors extrêmes se cache un sous-sol riche en or et en pierres
précieuses : on y a extrait un diamant de 120 carats.

La grotte des Demoiselles

Patiemment, durant des millénaires,
et secrètement, sous la terre, la nature a œuvré,
créant un univers étrange et mystérieux.

Au pied du massif des Cévennes, la grotte est un ancien aven (gouffre circulaire) creusé par les eaux souterraines dans le calcaire du plateau de Thaurac ; sa plus grande salle, la « cathédrale », s'élève à 50 m de haut. Un tel espace souterrain ne pouvait que susciter mystères et légendes : les Demoiselles ne sont autres que des fées… Connue de longue date mais vraiment explorée seulement en 1 770, puis étudiée par le géologue Martel à la fin du XIXe siècle, la grotte des Demoiselles est un haut lieu touristique : aux concrétions naturelles, stalagmites et stalagtites, coulées de calcites, colonnes ou draperies minérales, ont été peu à peu ajoutés des équipements qui en font un lieu quelque peu artificiel : éclairages dynamiques et colorés, funiculaire souterrain, sonorisation…

Montagnes rhyolitiques

Au sud de l'Islande, le volcanisme a donné forme aux paysages irréels du Landmannalaugar, « le pays des hommes qui se baignent nus » ; un nom dû à la présence de sources chaudes.

Les montagnes de rhyolite sont formées d'une sorte de granite volcanique, base du relief exceptionnel de cette contrée, l'une des plus réputées d'Islande, parcourue par de nombreux randonneurs. Volcans, cratères anciens et lacs de cratères, solfatares, cônes de scories, coulées de lave ou d'obsidienne, torrents et rivières encaissées entre des parois aux couleurs surprenantes font de cette région un univers étrange d'une beauté rude et austère. Parfois, des zones de couleur – jaune, orange, vert, violet – colorent les sols grisâtres comme de gigantesques coups de pinceau. Et dans cet univers aride et étrange apparaissent çà et là des orchidées rares.

L'île de Kuanidup

Tout évoque ici la sérénité d'îles de rêve :
les autochtones l'ont bien compris,
qui savent à la fois
vivre du tourisme et défendre leurs îles.

Dans la mer des Caraïbes, l'archipel des San Blas dépend de Panama. Le gouvernement central a accordé une large autonomie aux Indiens Kunas, les habitants originels de l'archipel. Si certains cultivent la noix de coco, beaucoup vivent du tourisme. Il est vrai que leurs 300 îles sont des plus séduisantes. La limpidité des eaux, la qualité de la lumière, les couleurs de la végétation, l'harmonie sereine de tout l'archipel en font vraiment un lieu d'exception. Kuanidup est l'une des San Blas les plus visitées, y compris par d'énormes groupes de croisiéristes américains qui paraissent submerger – heureusement pour le temps d'une très courte escale – la population locale… On raconte qu'un Indien Kuna, après avoir servi dans l'armée, acheta l'île pour 1 000 dollars au début des années 1980 pour y prendre sa retraite !

L'île de la Cité

*Par sa forme, l'île est comme une nef ancrée
au milieu de la Seine, comme ce navire médiéval que portent
les armes de la capitale. Et la cathédrale Notre-Dame
en dessine la mâture.*

À la proue, le square du Vert-Galant s'adosse au
Pont-Neuf ; à la poupe, le bouleversant Mémorial de
la Déportation termine aussi un square. Entre ces
deux extrémités, l'urbanisme du XIXe siècle, qui a
reconstruit le palais de Justice et l'Hôtel-Dieu,
enchâsse les souvenirs médiévaux du temps où la
Cité était le cœur très dense de Paris : Notre-Dame,
bien sûr, et la crypte archéologique de son parvis, le
reliquaire de pierre et de verre qu'est la Sainte-Cha-
pelle de Saint Louis, et les tours de la Conciergerie,
où la reine Marie-Antoinette vécut ses dernières
heures. Entre les éléments forts de ce patrimoine, les
rues, les quais et les places sont des lieux de prome-
nade à deux pas desquels, toujours, coule la Seine.

Le sanctuaire de Delphes

Dans sa beauté, le cadre naturel du sanctuaire d'Apollon
mêle puissance et harmonie : ici les dieux
peuvent avoir rendez-vous avec les hommes.

Les pentes couvertes d'oliviers, le ciel de Grèce,
la mer au loin, et, sur des terrasses, les vestiges d'un
sanctuaire essentiel à la civilisation de la Grèce antique : voici Delphes. Au nord du golfe de Corinthe et
au pied de la demeure des dieux, le mont Parnasse,
entre les roches Phaedriades et les gorges du Pleis-
tos, s'étagent – entre autres – le sanctuaire d'Athéna
Pronoia, la protectrice, la très élégante Tholos circulaire, les restes du grand temple d'Apollon et l'ample hémicycle du théâtre. C'est dans une salle du
temple qu'officiait, en extase, la Pythie, noyée dans
les vapeurs s'exhalant d'une anfractuosité du
rocher. Ses oracles ont dirigé bien des vies, influé
sur l'histoire du monde. Delphes est aussi un haut
lieu de l'art : les sculptures conservées qui ornaient
le sanctuaire, comme l'Aurige de bronze, sont d'in-
contestables chefs-d'œuvre.

Istanbul

Des rêves d'Orient aux portes de l'Europe : ainsi les romantiques
voyaient-ils déjà la ville aux trois visages plantée
sur les rives du Bosphore : Byzance, Constantinople, Istanbul.

Au fil des siècles, Istanbul a changé de nom, s'identifiant à son histoire. Une histoire aussi riche que ses trésors, qui ont longtemps suscité la convoitise. Grecque, romaine, byzantine, ottomane et enfin turque, capitale d'un Empire ou métropole d'une république musulmane moderne, Istanbul a toujours été une ville cosmopolite. Entre des maisons de bois dévalant le long de ruelles pittoresques, près de vestiges romains comme à l'ombre de la mosquée Bleue (mosquée du Sultan Ahmet, au premier plan) et, bien sûr, sous la coupole de Sainte-Sophie, église, mosquée puis musée (au second plan), la ville est un creuset de civilisations. Couloir maritime, le Bosphore unit plus qu'il ne sépare l'Europe et l'Asie ; assurément, les 11 320 000 Stanbouliotes d'aujourd'hui n'ont guère le sentiment de changer de continent en passant d'une rive à l'autre...

Le volcan Ol Doinyo Lengaï

Montagne sacrée des Masaïs de Tanzanie, le Ol Doinyo Lengaï se dresse jusqu'à 2 878 m d'altitude au nord de la Tanzanie ; volcan actif, il est remarquable par ses laves de carbonatite, composé de carbonate de calcium, de sodium et de magnésium.

Cette composition des laves, beaucoup moins chaudes qu'ailleurs (500 à 540 °C), entraîne un phénomène chromatique curieux : les laves jaillissent d'abord d'un noir intense, deviennent rapidement brunes ou gris bleuté, puis, en deux jours, d'un blanc de neige. Depuis la dernière éruption explosive, en 1966, des coulées ininterrompues, parfois très rapides, ont partiellement rempli le cratère et se sont superposées sur les pentes du volcan d'où émergent parfois, comme ici au milieu des cendres, des cheminées éruptives et des coulées anciennes de carbonatite solidifiées qui composent un paysage lunaire presque angoissant.

La Camargue

À la rencontre de la Méditerranée, le Rhône disperse sa puissance en de multiples bras. Son delta, c'est la Camargue, rude et sauvage sous le soleil du Midi.

Au sud d'Arles, entre les principaux bras du Rhône et autour du vaste étang du Vaccarès, les 143 500 ha de la plaine alluviale de Camargue forment un écosystème original à la rencontre des eaux douces et salées. Dès les années 1920, une réserve nationale est venue protéger une partie du territoire, puis un parc naturel régional de 30 000 hectares en 1970. Les terres sont parfois cultivées en rizières ; les marais salants sont une ressource importante. Peupliers blancs, tamaris, genévriers assurent encore un faible boisement ; salicornes, iris, genêts, myosotis et asphodèles fleurissent au printemps. L'espace, que recouvrait autrefois la forêt, est propice à l'élevage des fameux chevaux blancs et des taureaux. De nombreux oiseaux migrateurs se reproduisent en Camargue ; quant aux célèbres flamants roses, ils restent parfois ici l'année entière.

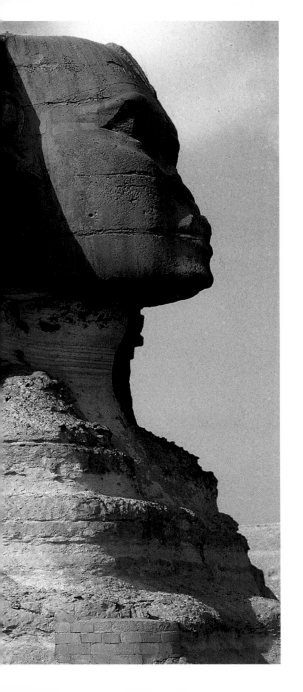

Le sphinx de Guizeh

Au pied des plus célèbres pyramides d'Égypte, le Sphinx, veille impassible, regarde depuis 4 500 ans l'Orient au-delà de la vallée du Nil...

Entre désert et ciel se détachent les trois pyramides de Khéops, Khéphren et Mykérinos, sépultures de trois pharaons de la IVe dynastie. Devant elle, le Sphinx, lion à tête humaine, semble être leur gardien. Long de plus de 70 m, haut de 20 m, il a été sculpté dans un affleurement du rocher, peut-être la paroi d'une carrière ayant servi pour la construction des pyramides. Selon certains archéologues, son visage serait celui du pharaon Képhren. Vers 1 400 av. J.-C., il a été restauré et, surtout, désensablé, à la suite d'un songe promettant la couronne de pharaon au futur Thoutmosis IV, s'il entreprenait ces travaux : ce qui fut fait... D'autres restaurations sont bien sûr intervenues, sans que le Sphinx retrouve cependant sa barbe, toujours exposée au British Museum de Londres.

Iceberg près d'Illulisat

Troisième agglomération du Groenland, Illulisat est située dans la baie de Disko, où les icebergs se détachent du glacier Jakobshavn.

À proximité, des icebergs parmi les plus gros du monde se forment lors de la débâcle dans le fjord de Kanga. Le port d'Illulisat ne vit donc pas qu'au péril de la mer, mais aussi de la glace : le détachement des icebergs de la masse glaciaire, leur éclatement ou, parfois, leur retournement, provoquent en effet d'énormes vagues, violentes, puissantes, qui mettent en péril les bateaux les mieux amarrés. Tout comme les dures conditions climatiques de l'hiver, c'est l'une des difficultés de la vie groenlandaise. 4 000 habitants vivent pourtant là, dans des maisons en bois de couleurs vives couronnant la baie. Le plus souvent, ils sont pêcheurs, de flétans ou de crevettes, et circulent en traîneaux attelés de chiens la plus grande partie de l'année.

Les temples d'Angkor

*Dans la jungle qui met en péril ses vestiges,
la civilisation khmère s'affirme brillante et raffinée :
Angkor perdure depuis neuf siècles au-delà de tous les drames,
comme, il y a peu, celui de la terreur des Khmers rouges.*

Au XIIᵉ siècle, le roi Suryarman II (1113-1150) gouverne en monarque éclairé l'immense empire des Khmers qui s'étend alors sur la majeure partie de la péninsule indochinoise. Au milieu de la jungle cambodgienne, il fait construire Angkor Vat, le « temple-montagne », en gradins sur une éminence artificielle. Mais le site d'Angkor ne se résume pas à ce seul temple monumental et à ses grandes tours annelées. Angkor est une capitale fondée trois siècles plus tôt, et où les souverains successifs ne cessent de bâtir jusqu'au XIVᵉ siècle. Si Angkor Vat et ses innombrables sculptures témoignent du plus brillant art classique khmer, le début du XIIIᵉ siècle voit la réalisation d'Angkor Thom, « Angkor la grande », avec nombre de monuments et de temples ornés de bas-reliefs dans une enceinte longue de plus de douze kilomètres.

Pfalzgrafenstein

*Victor Hugo comparait ce château à un navire de pierre :
l'image s'impose en effet devant cet édifice médiéval incrit dans
un paysage des plus romantiques.*

Dans le superbe cadre de la vallée du Rhin traver-
sant le Palatinat, le fleuve majestueux se coule entre
des pentes couvertes de vigne ou des escarpements
rocheux impressionnants. À Kaub, sur une île, le
château de Pfalz est fort bien placé pour assumer
son rôle : contrôler la navigation et percevoir un
péage. En cas de refus, les prisons du donjon étaient
prêtes… Avec la forme de son enceinte qui évoque
celle d'un navire, ses toits et ses échauguettes sombres, ses murs crépis de blanc et sa silhouette
ramassée, il a succédé, au niveau du fleuve, à un
ancien *burg* médiéval perché sur la colline au-dessus de lui, le Gutenfels. C'est le roi Louis de Bavière
qui, en 1327, en décida la construction. Les XVIIe
et XVIIIe siècles apportèrent quelques modifications
à ce qui est désormais une étape obligée des
croisières sur le Rhin.

Le monastère de Phouktal

Serrées comme en grappe, tassées sur une paroi rocheuse,
les constructions blanches du monastère
semblent être le nid de quelque oiseau sacré.

Au Ladakh, à l'extrême nord de l'Inde dans la région du Cachemire, l'ancien royaume du Zanskar flirte avec les plus hauts sommets de l'Himalaya. Ses vallées resserrées sont situées à plus de 3 000 m d'altitude ; elles sont peuplées d'environ 15 000 habitants, agriculteurs et moines : les monastères bouddhistes tibétains sont nombreux. Parmi eux, Phouktal est particulièrement impressionnant. Ses constructions sont littéralement accrochées à la paroi de la montagne, à 4 000 m d'altitude, en surplomb sur la rivière Tsarp. Seule leur couleur blanche aide à les distinguer de la roche. Elles sont plaquées devant l'ouverture d'une grotte où jaillit une source, ce qui explique le choix audacieux de cet emplacement. Le monastère compte aujourd'hui environ 80 moines ; il a été fondé au XIe siècle et a pris sa physionomie actuelle au XVe siècle.

Le village troglodytique
de Guermessa

*Moins touristique que Matmata, où l'on s'émerveille en foule
de l'habile aménagement d'habitations troglodytiques,
Guermessa offre aussi ce type d'habitat, désormais abandonné.*

Dans une région aride du massif du Dahar, en
Tunisie, où de grands projets doivent développer la
culture des figuiers et des amandiers, les oueds ont
entaillé les plateaux en y formant des canyons ou
des cascades. Ils fertilisent des terres cultivées en
terrasses. Plus au sud, des Berbères demeurent
nomades, même si d'autres, éleveurs, tout aussi
jaloux de leurs traditions, se sont sédentarisés dans
de surprenants villages troglodytiques, tel Guer-
massa, accroché aux pentes d'un piton rocheux.
Mais pour vivre, ils lui préfèrent aujourd'hui un
village moderne, plus bas dans la plaine.

L'Acropole d'Athènes

Avant tout, l'Acropole est la colline d'Athéna, la protectrice de la cité sur laquelle veillent ses temples. Mais aussi, depuis des siècles, l'emblème de la civilisation grecque, dont l'humanité toute entière est peu ou prou imprégnée.

Éminence escarpée de 300 m de long formant plateau, l'Acropole d'Athènes fut d'abord une forteresse défensive à laquelle on adjoignit un temple. À la suite des destructions par les Perses, en 480 av. J.-C., une statue puis un temple furent consacrés à Athéna. L'Acropole devint prestigieuse lorsque Périclès en confia l'aménagement à Phidias. Dominant la colline et la ville, le nouveau temple d'Athéna Parthenos, le Parthénon, sera achevé en 432 av. J.-C. Il est le chef-d'œuvre de l'architecture et de la sculpture grecques classiques. Au nord, bien plus modeste, l'Erechteion célèbre un olivier sacré que la déesse aurait planté ; quant au temple d'Athéna Niké, il glorifie Athéna victorieuse. Avec le portique d'entrée des Propylées, ce sont les édifices essentiels de l'Acropole, que le XIXᵉ et le XXᵉ siècles restaureront en y voyant un joyau de la culture occidentale.

Les peintures rupestres du Tassili n'Ajjer

Danses, chasses ou prières ? Même si les œuvres qu'ils nous ont laissées nous les font connaître, les lointains habitants du Sahara demeurent auréolés de mystère et bien des questions se posent encore pour reconstituer leur vie et son cadre naturel.

Au fil des découvertes archéologiques, la vie d'un Sahara fertile et peuplé se révèle peu à peu. Plus encore, la découverte des peintures rupestres a fait entrer l'immense désert – 10 millions de km² – dans le grand livre de l'histoire de l'art des hommes. Et l'on sait que le Sahara occidental recèle encore bien des sites à explorer. Complétées par des découvertes de matériels divers, armes et outils, les peintures du Tassili n'Ajjer évoquent nos lointains ancêtres dans des scènes dont beaucoup restent encore mystérieuses : rites religieux, vie quotidienne ?

Moulin en Hollande

*La Hollande revendique la situation de bon nombre de ses terres,
en dessous du niveau de la mer. Un pays au péril de la mer,
mais qui lui doit aussi une bonne part de ses richesses.*

On sait que les moulins, dont la silhouette élégante
ponctue les paysages de polders des Pays-Bas,
abritent des pompes qui drainent les « terres infé-
rieures », celles conquises à force de travail et abri-
tées derrière des digues. Terres riches, propices à la
cultures, mais qui réclament sans cesse une vigilance face à la menace des eaux. On estime le nombre de ces moulins pompeurs à près de 10 000 au
milieu du XIXᵉ siècle ; il n'en reste pas plus de
900 aujourd'hui, où des pompes hydrauliques à
gasoil les remplacent. Mais on a pris conscience
de ce qu'ils représentent en tant que témoignages de
l'histoire et de la culture des Pays-Bas : quel peintre
hollandais ne les a pas pris pour thème ou pour
sujet d'arrière-plan de ses œuvres ? Assurément, ils
appartiennent, avec les digues et les canaux, à la
civilisation des terres conquises sur les eaux.

La lente dérive des icebergs

Les icebergs partent à l'aventure.
Ils se transforment sans cesse, dessinant
une géographie aléatoire dans la pleine liberté de la nature.

Lorsque les icebergs se détachent de la masse glaciaire dont ils sont issus. ils peuvent constituer de véritables montagnes de glace de plus de 100 m de hauteur. La différence de densité entre la glace et l'eau de la mer explique que seul 1/8 de leur volume soit visible. Leur forme évolue au cours de leur déplacement. qui peut atteindre la vitesse de 7 km/h et durer près d'un an, les conduisant par exemple jusqu'à Terre-Neuve ou aux Bermudes. Mais le plus impressionnant est sans doute l'âge de la glace qui les constitue : en leur cœur, elle peut remonter jusqu'à plus de 15 000 ans... En fonction de la présence plus ou moins forte de bulles d'air dans la masse de glace, leur couleur varie du blanc pur à un blanc fortement bleuté.

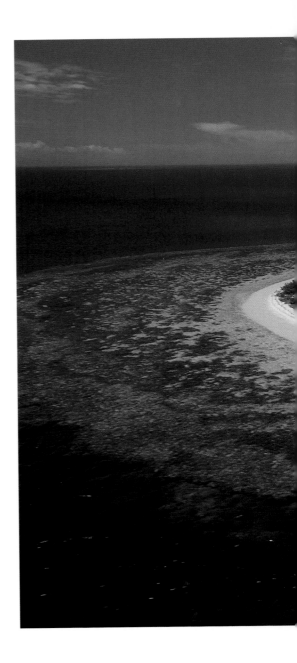

Au large de
la Nouvelle-Calédonie

Les îles du Pacifique font rêver. Plages de sable blanc et cocotiers, mer limpide d'un bleu intense : des paysages de cartes postales. Mais la nature, ici, à fait encore mieux...

Le plus vaste lagon du monde entoure la Nouvelle-Calédonie, dans le Pacifique Sud. Mais « le Caillou » est loin d'en être la seule île : elles sont innombrables, et beaucoup, toutes petites, sont inhabitées. Ici, la nature a tracé au compas une île parfaitement circulaire. Les récifs de corail cernent une plage annulaire et des arbres et des taillis recouvrent l'île elle-même. Tout est en place pour que, au long de millions d'années à venir, l'île volcanique s'enfonce peu à peu pour former un nouveau lagon, tandis que les coraux, en se développant, formeront une barrière créant un atoll. Mais bien d'autres phénomènes, prévisibles ou non, peuvent intervenir et modifier ces processus...

Le cirque de Gavarnie

*La majesté de la chaîne pyrénéenne
se révèle dans toute son ampleur, la montagne s'ouvrant
en un panorama circulaire des plus spectaculaires.*

Formant un ensemble naturel de 25 000 ha autour d'un amphithéâtre de 6 km de diamètre, le site du cirque de Gavarnie intègre les sommets qui le ferment et dépassent parfois les 3 000 m d'altitude, le grand pic d'Astazou, le pic du Marboré, la Tour et le Casque de Gavarnie, le Pic du Taillon. Vestige du travail géologique glaciaire, le site offre aussi à la découverte la « brèche de Roland » et la plus haute cascade d'Europe (473 m de chute). Gigantesque théâtre d'une vie pastorale qui sut toujours s'adapter aux contraintes du site, le cirque accueille chaque été un festival de théâtre.

Le château
de Chaumont-sur-Loire

Dans les brumes matinales, l'allure est encore médiévale.
Les tours en imposent, solides au-dessus du fleuve.
Mais le grand attrait de Chaumont, ce sont ses jardins,
fleurons de la douceur du val de Loire.

Dès le Xe siècle, une forteresse est établie ici pour protéger Blois. Rasé par Louis XI, le château médiéval est reconstruit à partir de 1465. À la toute fin du XVe siècle, les Chaumont d'Amboise poursuivent les travaux, mais au goût du jour, celui de la Renaissance qui s'amorce en val de Loire. Catherine de Médicis achète Chaumont en 1560, puis l'échange avec Diane de Poitiers contre Chenonceau. Le XIXe siècle entreprend une restauration importante du château dans le style néo-Renaissance. En 1884, le prince de Broglie fait réaliser un vaste parc à l'anglaise ; c'est là que va prendre forme une nouvelle vocation de Chaumont : accueillir le Conservatoire international des Parcs et jardins et du paysage, et un festival annuel des jardins, de réputation internationale.

Le village de Shadé

*Au pied de sommets parmi les plus hauts du monde,
des villages vivent comme en dehors du temps.
Shadé, au Zanskar, est l'un d'eux.*

Dans l'État indien du Cachemire, entre 3 400
et 4 400 m d'altitude, les vallées du Ladakh sont très
isolées et difficilement accessibles. Une situation qui
permit longtemps au royaume du Zanskar de préserver son indépendance et ses traditions bouddhistes,
malgré son rattachement forcé à l'Inde lors de l'indépendance indienne. Le village de Shadé est l'un des
plus retirés de la région, et ses habitants vivent presque en autarcie. Ils cultivent au plus près du village
des champs d'orge dont les limites suivent les courbes
de niveau, et trouvent la plupart de leurs ressources
à proximité : quelques espaces de terres fertiles, une
herbe rase convenant pour faire paître quelques animaux, du bois et, bien sûr, l'eau indispensable à la vie
jaillissant de sources dans les montagnes

Le château de Vaux-le-Vicomte

*Le château qui par son luxe valut la disgrâce
de son commanditaire est comme le modèle de l'art français
du XVIIe siècle ; sur les chantiers de Versailles, on se souviendra
de Vaux-le-Vicomte.*

Nommé par le cardinal Mazarin surintendant des
Finances alors que les caisses du royaume sont
vides, Nicolas Fouquet (1615-1680) sait les remplir
à nouveau tout en construisant sa propre fortune.
Mécène ami des arts et des lettres, il invite le roi en
son château de Vaux, à l'est de Paris, en août 1661 :
c'est la plus fastueuse des fêtes, dans un cadre de
40 ha où l'édifice de Le Vau, décoré par Le Brun,
règne sur un parc splendide dessiné par Le Nôtre...
Éveillée déjà par la gloire, la puissance et la richesse
de Fouquet, la jalousie royale est à son comble : un
mois plus tard, le surintendant est banni et emprisonné ; il le restera jusqu'à sa mort !

La statue de la Liberté

*L'illustre statue de cette femme hissant bien haut son flambeau
est l'œuvre du sculpteur français Bartholdi.
Emblème de New York, elle est un symbole de liberté pour le monde entier.*

En 1865 naît l'idée que la France se doit de faire un don symbolique aux États-Unis d'Amérique à l'occasion du centenaire de leur indépendance. L'idée séduit Frédéric Auguste Bartholdi (1834-1904), qui avait déjà imaginé une gigantesque statue phare pour l'entrée du canal de Suez. Il reprend ce projet avorté pour New York, et réussit à convaincre toutes les autorités concernées par l'œuvre qu'il baptise : « la Liberté éclairant le monde ». Après plusieurs maquettes, la construction commence en 1875 dans des ateliers parisiens. Une structure élaborée par Viollet-le-Duc puis Eiffel soutient un treillis recouvert de plaques de cuivre. La statue est ensuite démontée, transportée et remontée sur son socle fin 1885. Sur Liberty Island, au sud-ouest de Manhattan, l'ensemble atteint 93 m de haut et éclaire toujours le monde.

Le désert de l'Atacama

Le soleil et les pierres semblent être les seuls composants des paysages du plus aride des déserts du monde, au Chili. Et les volcans, nombreux, en sont les metteurs en scène.

Témoins aussi de l'aridité de l'Atacama, les volcans s'y parent de couleurs surprenantes dues au lent travail chimique des projections et fumerolles qui, peu à peu, ont corrodé et coloré les roches durcies après les éruptions ; des roches que la pluie ne vient guère laver : en trente ans, on a compté en tout et pour tout 2 mm de pluie ! La sécheresse de l'air préserve une remarquable luminosité dans le désert de l'Atacama, où a été établi, sur un haut plateau, un radiotélescope international (Europe, États-Unis, Japon) bénéficiant de la limpidité de l'atmosphère.

Le palais et le musée du Louvre

Pour en faire le plus grand et le plus beau musée du monde, il fallait offrir au Louvre une entrée digne du projet : c'est la pyramide de verre que l'architecte sino-américain Ieoh Ming Pei acheva en 1989.

La pyramide de verre s'inscrit au cœur de l'immense palais du Louvre, résidence royale issue d'une forteresse construite vers 1200 par Philippe Auguste, dont les vestiges sont visibles sous la cour centrale. Le Louvre est devenu un palais après de grandes reconstructions au XVIᵉ siècle. Décidant d'y résider, François Iᵉʳ commence à y rassembler des œuvres d'art : c'est l'amorce du musée qui sera ouvert au public après la Révolution et développé par Napoléon Iᵉʳ, tandis que Napoléon III agrandira encore les bâtiments. Après les récents travaux qui ont permis de consacrer tout le palais au musée, celui-ci s'étend, avec ses services et ses réserves, sur 160 000 m² ; en 2005, il a accueilli 7,5 millions de visiteurs venus du monde entier.

La place Saint-Pierre

Haut lieu de la chrétienté, seuil grandiose de la cité du Vatican, la place Saint-Pierre, à Rome, est aussi un chef-d'œuvre de l'architecture baroque.

Lorsque la tâche de réaliser le parvis grandiose de la basilique Saint-Pierre fut confiée au Bernin, l'enjeu était important. La place devait en effet avoir une fonction autant liturgique, religieuse, que politique. Elle devait magnifier le pouvoir de l'Église, glorifier la papauté, et introduire physiquement à la grandeur de l'immense basilique. Le plan elliptique retenu y parvient tout à fait : les deux colonnades, édifiées de 1656 à 1667, forment deux bras accueillants, tandis que les 140 statues de saints qu'elles portent disent toute l'histoire glorieuse de l'Église. L'architecte réussit là une vraie scénographie baroque, rend l'espace dynamique et symbolique à la fois, en le centrant sur un obélisque antique et deux fontaines et en jouant admirablement du rythme des colonnes. Il est bien le metteur en scène d'une Église triomphante.

Les chutes de Gulfoss

On raconte qu'à l'aube du XXᵉ siècle,
la fille du propriétaire des chutes menaça de s'y jeter
si l'on y construisait une usine hydroélectrique... On ne le fit pa
et, depuis, le site est protégé.

Gulfoss, nom qui signifie « la chute d'or », devrait son nom aux fréquents et très beaux arc-en-ciel qui se forment au-dessus de cette double cascade, en Islande. Il s'agit en fait de deux cascades formées par le Langjokull, qui dévalent de 33 m de hauteur avec un débit impressionnant. Les eaux ont une telle force qu'elles ont creusé, immédiatement en aval, sur une longueur de 2,5 km, des gorges profondes et étroites. Quant aux arc-en-ciel, ils sont rendus possibles par la grande quantité de « brouillards », produits par la violence des chutes et dont les grosses gouttes permettent la diffraction de la lumière en spectre révélant ses couleurs (au moins celles visibles par l'œil humain) : rouge, orange, jaune, vert, bleu, indigo, violet...

Le monastère de Minyak

*Avec un air de pagode chinoise, voici un monastère
bien tibétain, campé sur l'herbe rase d'un plateau d'altitude.*

Les monuments religieux et les monastères tibétains
semblent souvent, par leur position dans des décors
grandioses, presque incongrus, inattendus, surprenants. Au Tibet oriental, où les vallées sont profondes et serrées entre de très hauts sommets, la région
du Kham en possède beaucoup, dispersés dans de
magnifiques paysages. Sur le plateau de Minyak, où
paissent yacks et moutons, celui-ci évoque l'architecture chinoise : dans la région, les constructions
mêlent les formes et références chinoises aux
constructions plus traditionnelles du Tibet. Devant
le monastère, des pèlerins ont attaché leurs chevaux
aux mâts des drapeaux de prière. Les couleurs qu'ils
porteront symboliseront la méditation, la pensée
juste, l'énergie spirituelle, la foi sereine et l'intelli-
gence, toutes qualités mises au service de la prière.

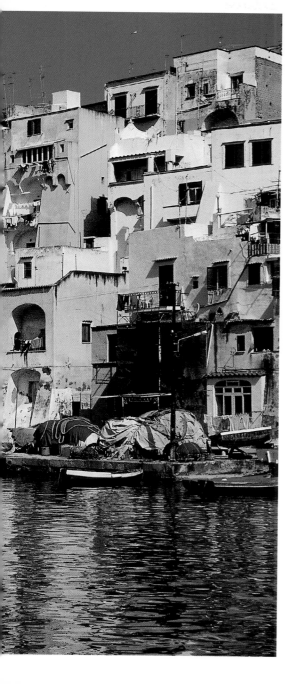

La Coricella

Pas d'architecte, pas d'urbaniste : au gré des circonstances, des héritages, des moyens, les maisons de La Coricella se sont entassées tant bien que mal au-dessus du port.

La petite île méditerranéenne de Procida, surgie d'un mouvement volcanique dans le golfe de Naples, reste à l'écart des flots touristiques naviguant entre la métropole du Sud et Ischia. Le bourg de La Coricella y est une merveille d'architecture spontanée, serrant ses maisons peintes de douces couleurs pastel entre le quai du port et la falaise en retrait. Chacun semble avoir voulu sa place, et semble l'avoir trouvée : il se dégage de cet empilement hasardeux un équilibre et une incroyable harmonie. Au plus profond des ruelles ou des passages couverts, sur les escaliers dont les détours réservent toujours quelque surprise, la mer n'est jamais loin ; parfois, on confond presque sa couleur avec le bleu du ciel…

La mer de sable
devant l'adrar Chiriet

Les images les plus fortes du Sahara sont celles
où se rencontrent les croupes alanguies des dunes
et la rudesse des massifs rocheux.

L'adrar Chiriet, monumental front oriental du massif montagneux de l'Aïr, au Niger, est un barrage
pour les vents venus de l'est. À ses pieds, épuisés
dans la lutte, ceux-ci laissent le sable qu'ils ont
soulevé bien loin de là former des dunes qui semblent s'étendre sans fin dans la répétition de leurs
ondulations. Elles sont jaune clair ici, au Ténéré,
presque rouges plus loin : l'oxyde de fer dissous sur
les roches originelles se déshydrate en enrobant
de couleur le plus infime grain de sable.

Le Kangchenjunga

Perdu le plus souvent dans les nuages, le Kangchenjunga culmine à 8 597 m. Il est le troisième plus haut sommet du monde et le point culminant de l'Inde.

À la frontière de l'Inde et du Népal, le Kangchenjunga appartient à la chaîne de l'Himalaya. Il se compose en fait de cinq sommets, ce qui est le sens de son nom en sanscrit : « les cinq trésors de la grande neige ». Il est longtemps resté un défi pour les alpinistes les plus chevronnés. Après des tentatives infructueuses et marquées de drames mortels, il sera vaincu par la face ouest en 1955, par une équipe britannique et néo-zélandaise de quatre hommes. Mais par respect pour la coutume hindouiste qui en fait une montagne sacrée dont le sommet doit rester inviolé, les alpinistes s'arrêtèrent deux mètres avant le terme. En 1979, une voie fut ouverte par la face nord. La première ascension hivernale est réussie en 1986, et la première par une femme en 1998.

Maupiti

*La plus petite des îles de la Société est sans doute la plus belle :
la plus paisible, sûrement.*

Seule une passe étroite donne accès au lagon circulaire de Maupiti, et les courants y sont dangereux.
Est-ce cela qui préserve l'île ? Le piton volcanique
du Teurafaatui se dresse au centre du lagon que
ceinture, bien sûr, une barrière de corail. Ce sont les
pentes de cet ancien volcan, érodées et affaissées,
qui ont formé les *motus*, les langues de terre fermant
le lagon. Là, sous les cocotiers, s'allongent les plages de sable immaculées et parfois désertes... Bien
que découverte en 1722, Maupiti ne s'ouvrit que
lentement aux colons. Des sites archéologiques formés surtout de sépultures témoignent d'une présence des Polynésiens dès le IXe siècle. Leurs descen-
dants d'aujourd'hui – à peine un millier – vivent
souvent dans des maisons sur pilotis, cultivant
pastèques et melons, et accueillant leurs visiteurs
avec l'authentique hospitalité polynésienne.

L'Alhambra de Grenade

C'est par une nuit de printemps qu'il faut découvrir l'Alhambra de Grenade, ses patios, ses fontaines, ses jardins. Alors l'extraordinaire magie du lieu opère totalement.

Mais c'est au couchant que, depuis la colline voisine de l'Abaicin, les murs des palais imbriqués prennent une inoubliable couleur rousse sur fond de ciel bleu et de sierra Nevada ourlée de blanc. Outre la beauté de son architecture et de ses décors, l'Alhambra manifeste aussi tout le raffinement de la civilisation andalouse, celle où purent cohabiter un temps juifs, chrétiens et musulmans, faisant du Sud de l'Espagne un étonnant foyer de culture. Au-dessus de la ville, l'Alhambra était d'abord une forteresse, développée par les Maures dès le IXe siècle. C'est aux XIIIe et XIVe siècles que les souverains nasrides lui donnèrent son aspect actuel, avec les plus belles salles ou la fameuse cour des Lions, le délicat décor de céramique ou de plâtre sculpté et de merveilleux jardins. Charles Quint y greffa deux siècles plus tard un palais à la belle cour circulaire.

Les alignements de Carnac

Toujours auréolés du mystère de leurs origines,
les alignements de menhirs de Carnac, en Bretagne, nous font
remonter à l'âge des premiers monuments humains.

Pour la plupart toujours dressées sur la lande bretonne, ce ne sont pas moins de 2 935 pierres levées, des menhirs, qui s'alignent sur différents sites des environs de Carnac, dans le département du Morbihan. On ne sait que peu de chose les concernant, si ce n'est que les plus anciens pourraient dater du néolithique (4500-4000 av. J.-C.), et les plus récents de 2500 ou 2000 av. J.-C. Autant dire que le champ est ouvert pour les interprétations les plus fantaisistes et d'innombrables légendes. D'autant plus que la plupart des alignements semblent disposés en fonction de références astronomiques, d'où l'on conclut qu'ils pouvaient servir à des cultes solaires. Les *tumuli*, dolmens abritant parfois plusieurs salles et recouverts de terre, sont nombreux aussi dans la région. Ils sont, eux, beaucoup plus anciens, et constituaient des sépultures.

Chelly national Monument

À 1 600 m d'altitude, voici une plongée dans l'univers des Indiens d'Amérique : le canyon de Chelly est une terre sacrée pour les Indiens Navajos.

Ce sont des falaises de plus de 300 m de hauteur que deux cours d'eau, les Tsaile Creek et Whiskey Creek, réunis ensuite dans le rio de Chelly, ont creusé sur 40 km de long dans cette terre indienne. Certains qualifient les canyons ainsi formés de « modèle réduit » du Grand Canyon du Colorado. Certes, l'ampleur des proportions est moindre, mais de fait, le gigantisme impressionnant des créations naturelles est bien au rendez-vous. Entre les parois ocre brun, parfois rougeoyantes, les eaux se glissent en laissant quelquefois un peu de place à une végétation dont la couleur verte anime l'ensemble. Des guides navajos conduisent jusqu'aux vestiges archéologiques de leurs ancêtres, implantés ici au XVIIIe siècle. Les Navajos succédaient alors aux Anasazis qui, eux, ont laissé dans la région des habitations troglodytiques.

L'ancienne ville de Ghadamès

*Les formes usées et blanches d'une mosaïque de murs
et de terrasses sont celles d'une ville caravanière
réputée pour ses dattes. Mais l'oasis offre aussi figues,
abricots, oranges…*

À la rencontre des frontières de la Libye avec l'Algérie et la Tunisie, Ghadamès fut l'une des villes
caravanières importantes du Sahara, sur la route de
Tripoli au lac Tchad. Née autour d'une source abondante, la « Perle du désert » est une cité historique,
immémorialement berbère, puis romaine, encore
ceinte d'un vieux rempart. On y découvre un habitat traditionnel des cités sahariennes : réserves en
rez-de-chaussée, habitations à l'étage surplombant
ruelles et passages souvent sans lumière, terrasses
réservées aux femmes et communiquant entre elles.

Everglades national Park

Au sud de la Floride, c'est un écosystème d'une richesse exceptionnelle qui est ici protégé depuis 1947, mais malgré cela de plus en plus menacé.

Le nom d'Everglades désigne des « marécages éternels », en fait une immense zone de marais (plus de 6 000 km^2). Mais leur « éternité » apparaît de plus en plus comme relative : ce milieu fragile est en danger, du fait de pollutions liées aux engrais et à l'urbanisation voisine (Miami n'est qu'à une cinquantaine de kilomètres), et aux dégâts des ouragans. Presque au niveau de la mer, le site est constitué d'une multitude d'îles et de canaux où s'interpénètrent eaux douces et eaux salées. La végétation est l'exemple même de la mangrove et de ses palétuviers, avec quelques chênes des marais, des pins, et, dans les lieux les moins humides, des cyprès chauves et des séquoias. La faune rassemble quantité d'oiseaux, dont des flamants roses, des lamantins et des ratons laveurs, des tortues et de nombreux alligators, célébrités dites ici « gators ».

Le lac d'Oum el-Ma

*Denses, resserrées, les dunes ondoient
comme des vagues sous l'écrasante lumière saharienne.
Soudain, on croit au mirage ; mais non !
Frangé de palmiers, le lac est bien là…*

Dans l'air vibrant de chaleur, la réfraction solaire suscite parfois d'étranges reflets : les mirages, images virtuelles produites par l'énergie du soleil à la rencontre d'un sol brûlant et se réfractant sur les basses couches de l'air lui aussi brûlant. Mais ici, en Libye, au nord du Fezzan, dans l'erg d'Oubari, le lac est bien réel, blotti au creux de la mer de dunes de l'Akakous et faisant miroiter ses eaux à la très forte salinité. Ce qui ne les empêche pas de donner naissance à une oasis fertile et bienfaisante au milieu de l'infini des sables.

Le fort de Salses

Sur l'horizon bas du littoral au-delà duquel se profile la chaîne
des Pyrénées, cet ouvrage de défense apparaît
d'autant plus puissant qu'il est comme tassé sur le sol.

Porte de la Catalogne entre la France et l'Espagne,
le fort est une massive construction défensive entreprise par les Espagnols à la fin du XVᵉ siècle. Il
n'a pourtant pas l'aspect altier des forteresses
médiévales : sa remarquable architecture témoigne
de l'adaptation d'un édifice militaire à son environnement naturel – ici la plaine littorale – mais aussi
et surtout aux progrès de l'armement, de l'artillerie
et de la stratégie de son temps. À la hauteur, on
préfère alors la résistance aux nouveaux boulets de
fer : certains murs ont près de 10 m d'épaisseur !
En cela comme par son plan, le fort de Salses
annonce l'architecture bastionnée où excellera
Vauban, qui interviendra d'ailleurs ici en 1691.

Lalibéla

Surprenant effet « secondaire » du volcanisme, on découvre à Lalibéla, en Éthiopie, des églises sculptées aux XIIᵉ et XIIIᵉ siècles dans la masse même de la lave.

Tandis que s'élevaient en Occident nos plus belles églises romanes et les premiers chefs-d'œuvre gothiques, bien loin, dans ce coin d'Afrique demeuré chrétien, on creusait dans le roc de surprenants sanctuaires. Au flanc de vieux volcans, à plus de 4 000 m d'altitude, ils font de l'endroit, encore aujourd'hui, un lieu de pèlerinage très important. Onze églises monolithes témoignent à Lalibéla de ce qui voulait être une « nouvelle Jérusalem ». Elles sont véritablement sculptées dans la roche, entaillée d'abord à la périphérie de l'édifice peu à peu dégagé, puis creusée pour ne conserver que terrasse, murs et supports intérieurs, le tout se présentant exactement comme des églises qui auraient été « bâties ». Un décor de fresques les décorait.

Le château de Chambord

Dans un domaine national qui demeure lieu de chasse officiel
de la République française, une forêt de cheminées
et de lanternons dessine la silhouette du vaste château
que l'on attribue parfois à Léonard de Vinci.

Ce qui est sûr, c'est que Chambord, voulu par
François Ier, est bien le manifeste de la première
Renaissance française, tout droit venue d'Italie
grâce au mécénat éclairé du souverain. Le chantier,
entrepris à partir de 1519, dura trente ans, sans que
l'ensemble soit jamais achevé. Sur un plan qui reste
celui d'une forteresse médiévale aux puissantes
tours rondes, les pierres blanches, les toits d'ar-
doise et, surtout, les innombrables fenêtres très
ornées donnent au château l'aspect d'une demeure
de plaisance complexe, inhabitable dit-on parfois,
ordonnée autour d'un étonnant escalier à double
révolution. Sous Louis XIV, on l'embellissait
encore, bien qu'il n'ait jamais servi que pour
d'éphémères séjours royaux consacrés à la chasse.

Le volcan Ol Doinyo Longaï

Pour les Masaïs, le volcan qui, de loin, apparaît dans ses formes pures comme posé sur la brousse, au nord de la Tanzanie, est un temple inaccessible et mystérieux : son cratère est la demeure de leur dieu.

Pour les vulcanologues, en revanche, il est un volcan en activité, émettant fumées et coulées de lave non pas basaltique, mais carbonatite (composée de carbonate de calcium, de sodium et de magnésium), ce qui contribue à lui donner des couleurs spécifiques et un couronnement, à près de 3 000 m d'altitude, évoluant du gris bleuté au blanc. La régularité de ses pentes est trompeuse : les apports successifs de lave et de cendres y ont modelé et y modèlent encore des formes tourmentées, rudes, hostiles.

Le volcan Avachinsky

Le volcan est proche de la ville de Petropavlovsk, la capitale du Kamtchatka. Péninsule des confins sibériens, à l'est de la Russie, au nord du Japon, le Kamtchatka ne compte pas moins de 300 volcans, dont 19 en activité.

Parmi ces très nombreux volcans, l'Avachinsky culmine à 2 751 m d'altitude. Il présente un superbe cratère au sommet de pentes régulières. Comme le Vésuve, cet actuel cratère, empli de lave depuis l'éruption de 1991, s'est formé au-dessus d'un cratère plus ancien, vieux de 30 000 à 40 000 ans, en forme de fer à cheval, de 4 à 5 km de diamètre. Toujours actif, il connaît des éruptions fréquentes, de type explosif, avec éjection d'importants volumes de cendres et de lave. Avec son voisin, le Koryaksky, l'Avachinsky peut menacer d'importantes populations ; aussi est-il très attentivement surveillé.

La vallée de Katmandou

Malgré les méfaits sensibles du tourisme, la vallée de Katmandou reste une étape obligée de la découverte des cultures asiatiques, dans le décor grandiose de ses très hauts sommets.

Isolée au milieu des montagnes, la vallée de Katmandou connaît depuis quelques décennies un développement anarchique et rapide. Les plus grands et plus beaux stupas (monuments bouddhistes) du Népal se trouvent ainsi cernés par des immeubles et des boutiques de souvenirs… Heureusement, on retrouve l'authenticité en quittant la capitale népalaise et les sentiers battus de la vallée. Les maisons anciennes (XIVᵉ au XVIIIᵉ siècle) aux éléments de bois sculpté sont nombreuses, et les temples et monuments religieux témoignent d'une zone de rencontre entre les traditions hindouistes et bouddhistes. Derrière une « occidentalisation » rapide, les us et coutumes des habitants révèlent que la vallée est un creuset à la rencontre de plusieurs cultures, et toujours un lieu de sagesse et de méditation.

New York, Manhattan

New York, c'est l'Amérique, et Manhattan, c'est New York.
Autour de Central Park, mythe et réalité se rejoignent. Taxis jaunes
et architecture verticale, rues en damiers et foules cosmopolites :
« Big Apple », la « grosse Pomme » est fidèle à sa légende.

On identifie souvent Manhattan et New York. À l'échelle de la mégapole, l'île hérissée de gratte-ciel, même orpheline de ses Twins Towers, manifeste le dynamisme conquérant de la cité portuaire où, à l'ombre de la statue de la Liberté du sculpteur alsacien Bartholdi, ont débarqué tant d'immigrants riches d'espoirs infinis. L'île de Manhattan, bordée par le fleuve Hudson et par l'East River, est l'un des cinq quartiers de New York. De Wall Street à Harlem, de Central Park à Greenwich Village, du Lincoln Center au Metropolitan Museum en passant par le Madison Square Garden, tous les lieux prestigieux de la ville sont là, sur cette île au nom indien achetée en 1624 aux Algonquins par quelques colons qui ne se doutaient pas du destin universel de leur « Nouvelle Amsterdam ».

Fête des morts au Guatemala

Dans toutes les cultures de l'Amérique latine, les morts sont présents dans le quotidien. Mais des fêtes traditionnelles rendent encore plus sensible cette présence.

Petit pays tropical d'Amérique centrale, le Guatemala demeure imprégné de traditions venues du fonds pré-hispanique de la civilisation maya. Une civilisation florissante ici depuis un millier d'années avant J.-C. jusqu'à la brutale conquête espagnole des années 1523-1527. Mais comme dans toute l'Amérique latine, la christianisation n'a pas effacé totalement les croyances anciennes et encore moins une proximité avec la mort souvent impressionnante. C'est par exemple pour se rapprocher des âmes des défunts que sont confectionnés pour une fête ces splendides cerfs-volants circulaires bariolés. Montant dans le ciel, ils rapprocheront les vivants et les morts, concrétiseront le lien jamais rompu entre le monde d'ici-bas et l'au-delà.

Le Capitole

Plus que le siège du Congrès des États-Unis,
l'édifice du Capitole, à Washington, est un symbole :
celui de la démocratie américaine.

Si la capitale fédérale des États-Unis voit aujourd'hui se développer de nouvelles activités économiques, sa fonction politique et administrative en dessine toujours la physionomie générale. Dans ce cadre, avec la Maison Blanche, le Capitole joue un rôle essentiel. Et la solennité de son architecture veut en témoigner. L'édifice abrite les deux Chambres qui équilibrent les fonctions du Président américain en assurant le pouvoir législatif : la Chambre de représentants et le Sénat. La première occupe l'aile nord de l'édifice, le second, l'aile sud. Entre les deux s'élève le dôme, qu'aucune construction de la ville ne doit dépasser en hauteur ; ainsi ne verra-t-on jamais de gratte-ciel à Washington. Commencé en 1793, le Capitole n'est complètement achevé qu'en 1811, face à l'immense esplanade menant au Washington Monument.

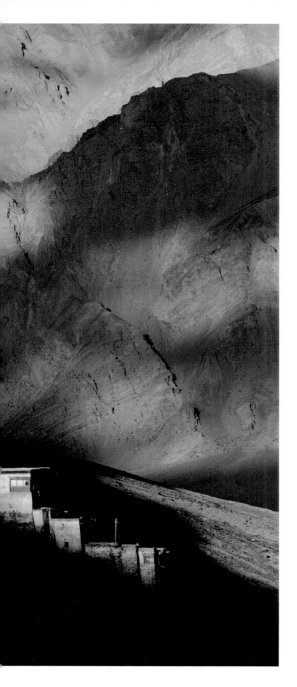

Le monastère de Karcha

Au cœur du Ladakh, un village et son monastère sont accrochés sur des pentes de haute altitude ; la vie semble y être intemporelle.

Étagés sur une pente à plus de 3 000 m d'altitude, les constructions blanches du village et du monastère se détachent sur le fond brun clair de la montagne ou, en hiver, se noient dans la blancheur de la neige. Karcha est l'un des plus vastes monastères de l'ancien royaume du Zanskar, au Ladakh. Tout autour flottent les drapeaux de prière, et sur des murets sont fichés des moulins à prière. Hors du temps, les pratiques bouddhistes imprègnent non seulement la vie des moines, mais aussi celle de toute la communauté villageoise. Dans son isolement à flanc de pente, Karcha semble n'appartenir qu'à l'essentiel, aux éléments que la nature rend encore plus impressionnants par temps d'orage.

Petrified Forest national Park

La fameuse route 66, qui traverse les États-Unis,
passe par ce parc naturel de l'Arizona où l'on voit les restes
pétrifiés de forêts datant de 220 millions d'années…

À 1700 m d'altitude moyenne, Petrified Forest est
une fascinante curiosité géologique. En grande partie enfouis à la suite de mouvements telluriques, de
grands et beaux arbres ont été pétrifiés, minéralisés,
à un rythme dont les échéances se comptent en millions d'années : peu à peu, de l'eau très chargée en
minéraux les a pénétrés, des matières siliceuses remplaçant les fibres du bois. À terme, ce sont de véritables troncs de pierre qui se sont ainsi formés.
Réapparaissant ensuite à l'air libre, ils ont été
soumis à l'érosion des eaux et des vents qui les a
souvent dégagés. Mais du même coup, ils étaient
aussi l'objet d'éclatements et de cassures provoqués
par les chocs thermiques. On dit que les Navajos
voyaient dans les grands troncs fragmentés et cou-
chés la colonne vertébrale de monstres disparus…

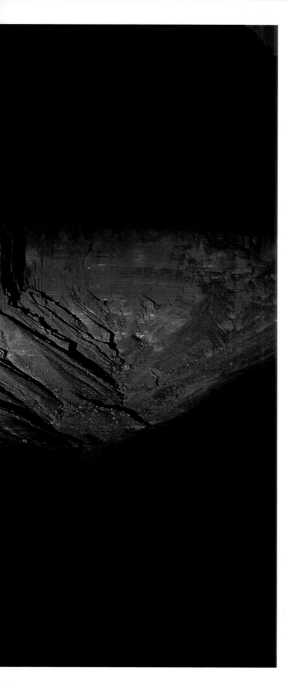

Grand Canyon national Park

*Le Grand Canyon du Colorado est sans doute le plus illustre
des sites naturels américains. Il est l'exemple même
de la démesure de l'Amérique, mais aussi de sa beauté forte,
presque violente.*

Au nord-est de l'État actuel de l'Arizona, sur près
de 450 km, le fleuve Colorado a creusé durant des
millions d'années le dur plateau où s'ouvrent
aujourd'hui des gorges fantastiques. Des gorges
d'autant plus grandioses que des mouvements
tectoniques ont surélevé le relief, accentuant encore
ses proportions en créant parfois, entre le plateau et
le fond de la gorge, un dénivelé dépassant 1 700 m.
En certains endroits, ce sont des roches vieilles de
deux milliards d'années qui apparaissent ! Au fond
du canyon – et de tous ceux qui le rejoignent –, les
eaux prennent souvent la teinte rouge des sols, satu-
rés d'oxyde de fer. Lorsque les parois s'écartent – la
largeur du canyon peut atteindre 24 km – apparaît
une végétation limitée au fond de la gorge ; sur le
plateau, elle est presque inexistante sur la rive sud,
et forestière sur la rive nord.

Un geyser spectaculaire

Un geyser n'est rien d'autre qu'une source d'eau chaude ;
mais relevant des phénomènes volcaniques,
c'est une source intermittente, irrégulière et souvent violente.

L'eau peut y atteindre de telles températures qu'elle sourd alors sous forme de vapeur. C'est parce que des eaux pénètrent profondément, par infiltration, jusqu'aux couches les plus brûlantes des entrailles de la Terre que, par convection, elles réapparaissent en surface. La force de leur jaillissement est due à l'étroitesse des voies qu'elles empruntent et des orifices par lesquels elles sortent, et qui en augmentent la pression. La combinaison de ces facteurs est rare : on ne trouve dans la plupart des zones volcaniques que de simples sources chaudes. Les geysers se rencontrent surtout dans le parc naturel américain de Yellowstone – on y dénombre les deux tiers des geysers du monde ! –, en Islande (d'où vient d'ailleurs le mot), au Kamtchatka, au Chili et en Nouvelle-Zélande.

Le glacier Vatnajökull

Par sa taille, le glacier pourrait s'inscrire au livre des records.
Pourtant, il propose mieux encore : la rencontre
du froid avec le feu venu des entrailles de la Terre.

Le glacier Vatnajökull est le plus vaste d'Islande, ne recouvrant pas moins de 8 % du territoire de l'île. C'est dire aussi qu'il est à lui seul plus vaste que la Corse ! Mais sa particularité principale est autre : il recouvre en partie une zone volcanique active, ce qui donne parfois l'occasion de contacts violents entre le feu et la glace. Des fontes brutales se produisent alors, entraînant rapidement la formation de rivières, ou bédières, sur ou dans le glacier lui-même. À la rencontre de la mer, ces eaux remodèlent alors les côtes, créant de nouvelles découpes ou entraînant au contraire des matières minérales qui vont s'entasser en redessinant le rivage. Sans rejoindre la mer, la fonte d'une coulée glaciaire a créé le lac de Jökulsarlon, parsemé d'icebergs.

Les jardins du Generalife

Les jardins du Generalife, à Grenade,
prolongent ceux de l'Alhambra, tout aussi séduisants.
Les charmes de l'Orient s'y épanouissent sous le ciel andalou.

On rencontre presque partout en Espagne des traces plus ou moins explicites de la présence musulmane. Mais c'est bien sûr en Andalousie qu'elle est la plus visible, surtout dans l'architecture des châteaux et des palais, *alcazares* ou *alhambras*. Des jardins accompagnent toujours ces édifices, s'intégrant parfois totalement à l'architecture comme dans les cours et les patios. Partout des fleurs aux senteurs choisies, partout des baies pour cadrer la surprise de visions de charme, partout des fontaines et des bassins pour exorciser la sécheresse des longs mois de l'été andalou. Pensés et voulus pour le repos et le plaisir, havres de paix derrière des murs de forteresse, les jardins maures ne sont qu'un avatar des jardins antiques. Ils sont surtout le témoignage d'un art de vivre, l'émanation d'une culture, d'une civilisation, d'une philosophie.

Amsterdam

D'un village médiéval de pêcheurs près d'un barrage (dam) sur l'Amstel est née l'une des villes les plus importantes d'Europe, au cœur d'une agglomération qui compte aujourd'hui plus de 2 300 000 habitants.

Il y a bien loin des pêcheurs de harengs du XIIIe siècle aux marins, hommes d'affaires, commerçants originaires de tous les pays du monde qui font d'Amsterdam une place économique essentielle de l'Europe. La ville est dès le XIIIe siècle un port et un centre de commerce ; elle trouve dans ces domaines son âge d'or au XVIIe siècle, envoyant ses navires sur toutes les mers du monde. Un siècle plus tôt, la liberté religieuse accordée dans le pays avait vu affluer juifs, huguenots et penseurs trop audacieux ailleurs : Amsterdam est alors un centre intellectuel et artistique de premier ordre. Pour suivre l'expansion du port, on creuse des canaux permettant de livrer les marchandises au cœur de la ville, construite souvent sur pilotis derrière de solides digues. Ces canaux, toujours animés et bordés de maisons à pignons, font le très grand charme du centre ancien.

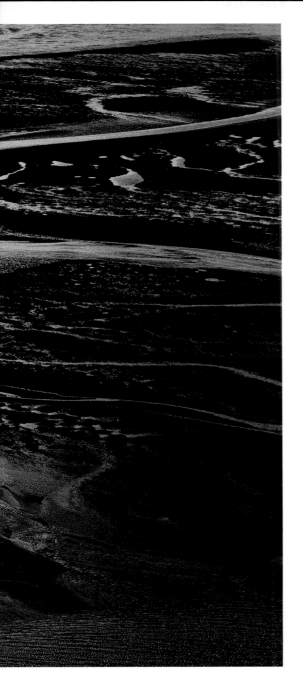

En mer du Nord

Bordée de pays industrialisés, sillonnée de routes maritimes très fréquentées, exploitée abondamment par la pêche, la mer du Nord est aujourd'hui un milieu fragilisé.

Couvrant environ 575 000 km², la mer du Nord constitue la zone nord-est de l'océan Atlantique. Les profondeurs y sont en moyenne de 40 à 100 m, des hauts fonds d'origine glaciaire pouvant se situer à 15 m et des fosses descendre jusqu'à 100 m. Exceptionnellement, elles peuvent atteindre 300 m au large des côtes norvégiennes, ou même 700 m près de l'Écosse. Le sous-sol recèle des gisements de pétrole très productifs, tout comme le sont les ressources de pêche (5 % des prises mondiales, harengs, églefins, cabillauds). Les nombreux cours d'eau rejoignant la mer entretiennent en effet des conditions favorables à la vie du plancton et des poissons qui s'en nourrissent. Les côtes sont très variées, rivages bas nécessitant des digues comme aux Pays-Bas ou hautes falaises de France ou d'Angleterre et fjords de Norvège.

Souzdal

Une ville musée de l'ancienne Russie ? Une ville d'histoire,
surtout, au patrimoine étonnamment bien conservé et inséré
dans la vie des habitants.

Proche de la ville de Vladimir et souvent visité avec elle, Souzdal fait aussi partie de « l'anneau d'or » de Moscou, une ceinture de villes d'art témoignant de « la vieille Russie ». Les Russes considèrent la cité comme le berceau de leur nation : les princes de Souzdal, devenus princes de Vladimir puis de Moscou, rassembleront « toutes les Russies » sous leur pouvoir. Dans une enceinte fortifiée, Souzdal abrite de très nombreux monastères et quantité d'églises comme celle, en bois, de la Transfiguration : leurs tours et leurs clochers rivalisent sur l'horizon. Des ruisseaux traversent l'agglomération, où la vie dans les ruelles semble avoir conservé des traits du Moyen Âge. Médiévales ou des XVIIᵉ et XVIIIᵉ siècles, les constructions se fondent dans une merveilleuse harmonie, et, loin des avatars de la Russie contemporaine, le temps paraît vraiment s'être arrêté à Souzdal.

Les ruines de Cuicul
à Djemila

Djemila, c'est en arabe « la belle ».
Dans la noblesse de ses ruines encore fières, l'ancienne ville
romaine n'usurpe pas son titre.

Prise dans les conflits entre Romains et Carthaginois, l'Algérie antique fut le théâtre de combats, alliances et ruptures diverses qui ne l'ont pas empêché de nous laisser d'importants vestiges de sa splendeur passée. Ainsi l'ancienne Cuicul, aujourd'hui Djemila, campée à 900 m d'altitude entre Atlas littoral et Aurès, sur un plateau entre deux ravins. Fondée en 98, elle fut prospère durant plusieurs siècles. Sur le forum, l'arc de Caracalla, élevé en 216, en marquait l'entrée. En retrait, on construira quelques années après le magnifique temple de Septime Sévère. Maisons parfois somptueuses, temples nombreux, arcs de triomphe, basiliques, ample théâtre, statues : tout laisse croire à une cité importante, sans doute de plus de 10 000 habitants. Christianisée, Cuicul tomba dans l'oubli après être passée aux mains des Byzantins au vᵉ siècle.

Le lac Titicaca

*Le nom du plus haut lac navigable du monde amuse
tous les enfants. Mais il lui donne un air familier qui risque
de faire oublier sa grandeur et son importance
dans la civilisation précolombienne.*

Entre Pérou et Bolivie, à 3 810 m d'altitude, le lac
Titicaca, aux eaux d'un bleu profond, s'étend sur
8 000 km². Un décor grandiose de montagnes souvent enneigées l'entoure, et des cultures en terrasses
descendent jusqu'à ses rives bordées de roselières.
Mais ce lac magnifique n'est pas qu'un site naturel :
il est aussi un berceau de civilisation depuis le
VIIe siècle, avant même l'essor de la civilisation inca
dont les fondateurs auraient surgi des eaux…
Aujourd'hui, il reste un conservatoire de la vie
indienne traditionnelle : c'est là que les femmes portent encore des chapeaux melon, et que les hommes
confectionnent eux-mêmes leurs bonnets à oreillettes.
La musique des Andes y résonne toujours, et pas
seulement pour les touristes. Des Indiens vivent sur
une quarantaine d'îles dispersées sur le lac dans des
constructions faites de roseaux.

Eilean Donan castle

Des brumes pour créer le mystère, un château découpant sa silhouette sur plusieurs plans de collines : il n'en faut pas plus pour que l'imagination ravive les légendes.

Sur la côte ouest de l'Écosse, sur le loch Duich mais presque à sa jonction avec deux autres lochs (pénétrations profondes de la mer dans les terres), le château de Eilean Donan est campé sur une petite île reliée à la terre ferme par un vieux pont. Très tôt fortifié, le site est convoité par différents clans, et le château ruiné en 1719 par la marine royale. Il sera reconstruit sous son aspect médiéval de 1910 à 1932. Dans le cadre magnifique mais austère des collines dialoguant avec les eaux, dans son isolement sauvage, Eilean Donan castle ne peut que faire penser aux vieilles légendes celtes et écossaises pleines de fantastique. Mais d'autres évocations sont possibles ; le château a reçu dans ses murs aussi bien des guerriers vikings, il y a bien longtemps, que, il y a peu... James Bond.

Le temple de Soleb

*Le temps a voulu faire des ruines les nouveaux rochers
du désert ; mais on ne saurait s'y tromper :
pour les dieux, ce sont bien les hommes qui ont dressé
portiques et colonnes sur les rives du Nil.*

Alors que le pouvoir des pharaons s'étendait vers
l'Afrique noire, Aménhotep III fit construire ce temple de grès rose en plein désert nubien, au sud de la
troisième cataracte du Nil, au nord de l'antique
pays de Koush. Le souverain, qui régna trente-huit
ans (de 1387 à 1350), célébrait ainsi son jubilé : le
temple était dédié à la fois au dieu Amon et au culte
du pharaon lui-même. Parmi les nombreux hiéroglyphes et bas-reliefs sculptés sur ses murs, on
trouve une liste des peuples vaincus par le monarque. Contemporain du temple de Louxor, le temple
de Soleb était probablement déjà ruiné 1 000 ans
avant notre ère, puisque certaines de ses pierres ont
été réutilisées sur d'autres sites dès cette époque.

Bamberg

« L'une des villes les plus romantiques d'Allemagne »,
affirment les documents touristiques. l'une des plus anciennes
et des plus belles, assurément.

Cité millénaire, Bamberg fut choisie comme capitale
par Henri II, duc de Bavière, empereur d'Occident
en 1002. C'était le début d'une longue histoire dont
témoigne le centre ancien de la cité de Bavière,
épargné par les destructions des guerres modernes.
Urbanisme, églises, couvents, bâtiments publics
font plonger dans l'histoire. Du gothique au baroque en passant par la Renaissance, de façades
ornées en clochers élancés et en toits pentus, la ville
ne se réfugie pourtant pas dans son passé : avec
70 000 habitants, elle est bien vivante, animée par
les étudiants de son université et sa vie nocturne très
active. À la fin du XVIIIe siècle, Bamberg a été le
foyer des Lumières de l'Allemagne du Sud : on pouvait rencontrer dans ses rues le philosophe Hegel
ou l'écrivain E.T.A. Hoffmann. À Bamberg, la vie
culturelle demeure une fierté des habitants.

La guelta d'Archei

Au cœur du désert du Tibesti, les dromadaires en grand nombre affluent vers ce point d'eau, indifférents aux crocodiles que l'on y trouve encore. Au-dessus se dressent de hautes parois rocheuses, parsemées de grottes et de peintures rupestres.

Situé au nord-est du Tchad, non loin de la frontière soudanaise, l'Ennedi est un massif rocheux qui regarde, vers le sud, les premières savanes subsahariennes. Profondément modelé par l'érosion des vents et des eaux, il abrite cette guelta entre des falaises de grès rouge hautes de 200 m qu'escaladent des singes cynocéphales. Les eaux y sont pérennes, protégées de l'évaporation par l'ombre qui les recouvre, et coulent de marmites en cascades : elles sont une indispensable ressource pour les pasteurs nomades bideyats qui peuplent la région.

L'Everest

L'Everest n'est pas que le plus haut sommet du monde.
Par la régularité de ses pentes et son environnement,
il est l'une des plus belles montagnes qui soient.

Pour les Népalais, il est « le toit du monde » ; pour
les Tibétains, « la déesse de l'univers ». Reconnu en
1825 comme le plus haut sommet du monde, l'Everest est en effet dressé sur la frontière entre le Népal
et l'Inde. Quant au nom que lui donnent les Occidentaux, il est celui du géographe et géomètre,
gouverneur général de l'Inde britannique de 1830
à 1843, l'un des premiers à tenter une estimation de
l'altitude de la montagne. Du haut de ses 8 849 m,
l'Everest – Chomolungma en tibétain – domine tout
le massif de l'Himalaya et fascine bien sûr tous les
hommes, attirant les plus brillants des alpinistes.
Les premières expéditions pour en atteindre le sommet datent de 1921, mais ce n'est qu'en 1953 que
Edmund Hillary et le sherpa Tensing Norgay par-
viennent à le vaincre.

L'île d'Ouessant

Sauvage, rude, battue par des flots que l'on imagine mal apaisés, Ouessant est un peu le prototype des îles atlantiques, fragile terre d'humanité perdue dans l'océan.

Entre Manche et Atlantique, au large de la pointe de la Bretagne, Ouessant est la plus occidentale des terres françaises. L'île était déjà formée à la fin de la dernière ère glaciaire, et une occupation humaine y est attestée par l'archéologie dès 1 500 ans avant J.-C. 950 habitants peuplent aujourd'hui cette terre plate de 15,5 km² couchée sur l'eau, à l'herbe rase balayée par les vents où seul le phare apporte un peu d'altitude. Mais la lumière, même embrumée, y est belle, tandis que sur les fleurs de la lande planent les oiseaux migrateurs et nicheurs.

L'arche d'Aloba

*Une fois encore l'érosion a joué la démesure en creusant
cette arche de pierre dans le grès de l'Ennedi :
d'une ouverture de plus de 80 m de haut, elle est la seconde
arche naturelle du monde.*

Ruissellement des eaux, abrasion des sables portés
par les vents, éclatement des roches soumises à de
fortes amplitudes thermiques et à la pression de
l'eau gelée dans des anfractuosités, sont autant de
puissants moyens de travailler les masses rocheuses
pour y former ce type de décor monumental.
Ailleurs, des gorges étroites, des grottes, des blocs
paraissant posés en équilibre participent au caractère monumental du paysage éthiopien.

Aigues-Mortes

Les sables ont gagné la bataille des siècles, et la mer s'est retirée loin du port où le roi Saint Louis s'était embarqué pour l'Orient des croisades. Comme devenus sans objet, les remparts sont habités de nostalgie.

Les Capétiens voulaient ici un grand port sur la Méditerranée : ils l'ont au XIIIe siècle, où son activité commerciale est florissante, nourrie du trafic avec l'Orient, avec Gênes ou Barcelone, et des expéditions par terre jusque vers les foires de Champagne. Près d'un mouillage en eaux profondes et d'un port lagunaire, la ville est fière de ses remparts longs de plus d'un kilomètre, percés de deux grandes portes et de cinq poternes. Mais dès le XVIe siècle, l'insalubrité due aux marais, l'ensablement du port, les querelles entre catholiques et protestants autant que le développement du port de Sète, voisin et rival, auront vite raison de tout cela.

Les falaises d'Étretat

*Comme pour un travail de broderie à l'échelle des éléments,
voici une aiguille et un trou qui témoignent du combat
de la mer assaillant la côte.*

Falaise d'Amont, falaise d'Aval, et entre les deux
une plage de poche et une petite station un tantinet
mondaine : Étretat, sur la côte nord de la Norman-
die, séduit les peintres et attire les visiteurs depuis
longtemps. Les falaises crayeuses sont blanches, la
mer d'un gris bleuté, et les formes issues de leur
combat surprennent : arche de la Manneporte,
aiguille de 70 m de haut que ne cessent d'assaillir
les embruns.

Le glacier Pertito Moreno

On ignore souvent que le manteau glaciaire de Patagonie est le troisième du monde en superficie, après le Groenland et l'Antarctique. Le Pertito Moreno est l'un de ses plus grands glaciers.

Partagée entre le Chili et l'Argentine, la Patagonie occupe l'extrême sud de l'Amérique latine. La nature s'y présente sous des aspects très divers, depuis les sommets andins jusqu'aux fjords en passant par des steppes infinies ou d'impressionnants glaciers. Ainsi le Pertito Moreno, l'un des 47 grands fleuves de glace du parc national des Glaciers. Long de 52 km, large de 4, il se termine par un front impressionnant haut de 60 m d'où des icebergs se détachent par pans entiers et tombent, des dizaines de mètres plus bas, dans les deux bras d'un lac, avec des bruits de craquements impressionnants et dans des gerbes d'écume. Il y a encore peu de temps, le glacier avançait parfois de 2 m par jour au centre de son front, et de 40 cm sur les côtés.

Le volcan Cotopaxi

*On le dit parfois le plus beau volcan du monde. La forme de so[n]
cône est parfaite. Mais son blanc couronnement ne saurait fair[e]
illusion : le Cotopaxi est très actif et toujours menaçant.*

Superbe, ce stratovolcan d'Équateur culmine à
5 911 m, dépassant souvent au-dessus des nuages.
Il est le plus haut volcan actif du monde et la glace
qui recouvre son sommet a vite fait de se transfor-
mer en coulées menaçantes lors d'éruptions qui ont
fait date dans l'histoire. Son couronnement imma-
culé masque un cratère de 700 m de diamètre où
s'éveillent parfois les puissances de feu des entrailles
de la Terre ; ainsi neuf fois entre 1534 et 1904. Lors
d'une de ces éruptions, les coulées filèrent jusqu'à
plus de 100 km vers le bassin de l'Amazone et
les rivages du Pacifique. Dangereux, le Cotopaxi
est aujourd'hui très surveillé, et sous son léger
panache de fumée, on y observe jusqu'à 200 mouvements sismiques par jour.

Leptis Magna

Dans l'actuelle Libye, Leptis Magna est aujourd'hui un vaste ensemble archéologique dont les ruines sont encore très évocatrices.

On a dit que Leptis Magna fut la rivale de Rome... Notamment grâce à l'empereur Septime Sévère, qui y était né et ne cessa de l'embellir à partir de sa montée sur le trône impérial en 193, la ville portuaire et marchande fondée par les Phéniciens était splendide. Un temps liée à Carthage puis indépendante avant d'être romaine, Leptis Magna se trouva alors être l'égale de Carthage ou d'Alexandrie. Elle fut cependant victime d'une crise du commerce méditerranéen qui la fit entrer en décadence à la fin du IIIe siècle. Dévastée par les Vandales, elle le fut aussi par les Berbères. Amphithéâtre, théâtre, hippodrome, forum, thermes, temples, marchés : c'est toute une métropole romaine que les ruines majestueuses évoquent encore, à la rencontre du bassin méditerranéen et de l'Afrique profonde.

Agra

Les murs et tourelles de grès rouge du fort palais d'Agra forment
le contrepoint de la blancheur éclatante du Taj Mahal.
Tous deux témoignent du goût fastueux des souverains moghols

C'est à l'empereur moghol Akbar que l'on doit, à partir de 1565, l'édification du fort défensif d'Agra, dans l'État de l'Uttar Pradesh, au nord de l'Inde. L'imposant édifice, entouré d'une haute enceinte de 2,5 km, est surnommé le Fort rouge, du fait de la couleur de ses pierres qui le pose en contraste avec la blancheur de son illustre voisin, le Taj Mahal, œuvre du petit-fils d'Akbar, Shah Jahan. Ce dernier fit d'Agra une cité impériale, avec de splendides palais, des salles d'audience dont la salle du Trône, des mausolées, des mosquées. Par un triste revers de l'histoire, il finit emprisonné dans le fort ; on raconte que, de sa cellule et grâce à un miroir, il contemplait le Taj Mahal, le mausolée de sa seconde épouse.

Tornades sur Glen Canyon

Paradoxe de la nature : les phénomènes naturels les plus dangereux sont souvent les plus beaux. Ainsi les tornades, nommées en mer trombes d'eau.

L'homme est impuissant devant les tornades qu'il sait prévoir, qu'il voit venir, qu'il admire même, parfois. Une tornade est une sorte d'ouragan très limité dans l'espace et dans le temps – quelques minutes seulement, souvent –, tempête tourbillonnante mettant en jeu les vents les plus forts que l'on connaisse, allant jusqu'à 450 km/h ; d'où leur force destructrice imparable. La tornade est provoquée par la rencontre de courants ascendants d'orages avec les vents de la couche atmosphérique la plus basse. Son mouvement circulaire conjugué avec une vitesse verticale identique crée une dépression centrale à la force aspirante considérable. Visuellement, une tornade apparaît comme une sorte de nuage en forme d'entonnoir étroit ou de « trompe d'éléphant ». Les tornades se produisent le plus fréquemment dans le Sud des États-Unis.

La cathédrale
de la Dormition à Vladimir

Plus de cent monuments de pierres blanches,
dont trente-trois églises et cinq monastères, font de Vladimir
l'une des villes d'art les plus intéressantes de Russie.

À 160 km au sud-est de Moscou, Vladimir est qualifiée parfois de « mère des cités russes » ; certes, la ville est ancienne : elle a été fondée en 1108 par Vladimir II Monomaque, d'où son nom. Le fils de celui-ci, Youri Dolgorouki, fondateur de Moscou, abandonnant Kiev, fait de la ville le siège du pouvoir des Grands princes de Russie : c'est l'aube d'une remarquable prospérité où l'on élève nombre de constructions dans une pierre blanche très caractéristique. D'autant que Vladimir est alors quasiment une capitale de l'orthodoxie. C'est ainsi que l'on peut encore admirer aujourd'hui la Porte Dorée et l'église de Saint-Démétère, du XIIᵉ siècle, ainsi que l'imposante cathédrale de la Dormition (1158-1185) ; elle abrite une superbe peinture murale due à Andreï Roublev et Daniel Tchiorni, ainsi qu'une imposante iconostase baroque.

Le Potala, à Lhassa

*Le palais des dalaï-lamas est un haut lieu
du bouddhisme, et fut pendant des siècles
le centre névralgique du Tibet.*

Magnifiquement juché sur une colline au cœur de la
vallée de Lhassa, l'immense palais du Potala est
présenté souvent comme le plus vaste monument
d'Asie. Il est vrai qu'il s'étend sur 400 m de long,
atteint 117 m de haut et compte environ mille
pièces ornées de 2 500 m² de peintures murales…
Du VIIe siècle à 1959, il a été la demeure du dalaï-
lama que les revendications chinoises sur le Tibet, à
cette date, ont contraint à l'exil en Inde. Le Potala
était le centre administratif et religieux du Tibet.
Immense ensemble formé d'un corps central et de
deux ailes moins hautes mais tout aussi larges, il se
décompose en Palais blanc et Palais rouge. Ce dernier, central et le plus haut, abrite huit stupas de
dalaï-lamas, tous revêtus d'or. L'administration chinoise a fait du palais un musée national.

Yellowstone national Park

Le parc de Yellowstone, de la « pierre jaune », s'étend au nord-ouest des États-Unis. Son nom est dû à l'abondance du soufre dans son sol et sa célébrité à l'activité géothermique qui s'y manifeste.

S'étendant sur les États du Wyoming, du Montana et de l'Idaho à 2 400 m d'altitude, ce parc naturel est le lieu de maints phénomènes géologiques et volcaniques originaux en raison de la faible épaisseur de la croûte terrestre dans cette région du monde. Le grand lac homonyme est un lac de cratère, et sur les 9 000 m² du parc abondent sources chaudes, geysers (les deux tiers de ceux recensés dans le monde !), bassins de boues bouillonnantes, fumerolles, etc. Les paysages y trouvent bien sûr des aspects fantastiques que Walt Disney a su mettre en valeur dans son célèbre film *Désert vivant ;* une œuvre où la faune locale tenait sa juste place : bisons, ours, élans, coyotes, chacals, mais aussi serpents, insectes et oiseaux, capables de s'adapter aux conditions de vie particulières de ce milieu naturel tellement original.

Les chutes d'Epopa

*Un fleuve confronté à la rudesse de la nature tropicale africaine
forme sur une partie de son cours la frontière
entre Angola et Namibie.*

Au sud-ouest de l'Afrique. Namibie et Angola ne cessent d'être secoués par les troubles politiques ou ethniques encore issus, bien des années après, de la période de décolonisation. Ce sont pourtant des pays qui pourraient bénéficier de leur remarquable patrimoine naturel, de leurs paysages souvent splendides, de leur faune et de leur flore. À la limite de ces deux pays, traçant la frontière avant de rejoindre l'Atlantique, le fleuve Kunene doit franchir la barrière montagneuse des Kaoko Veld. un tronçon de la chaîne qui sépare les plateaux de l'intérieur du pays de la région côtière et de l'océan. Plusieurs ensembles de chutes en interrompent alors le cours : les chutes de Ruacana, de Monte Nego, d'Onduruza ou d'Epopa. Elles se situent au nord de l'immense réserve naturelle d'Etosha, leur décor bénéficiant de la diversité de la végétation tropicale.

Le château de Puylaurens

Plus que jamais se justifie ici le qualificatif de « citadelle dans le ciel ». Et l'on admire autant à Puylauren la prouesse technique que la force altière du château défensif.

Il fallait beaucoup d'audace pour aller dresser une forteresse tout en haut d'un piton rocheux à 697 m d'altitude en avant du somptueux décor des Pyrénées. Cela devait répondre à un grand besoin de protection, dont purent bénéficier des réfugiés cathares lors de la sanglante et tragique croisade contre les Albigeois. Puylaurens fut alors pour eux une base de retrait, que ne put jamais enlever Simon de Montfort. La forteresse, renforcée sans cesse du XIᵉ au XIIIᵉ siècle, devint pourtant française en 1250. Prise alors par les troupes royales, refortifiée par Saint Louis, elle devint une place de défense frontalière entre Languedoc et Catalogne. Découvrir aujourd'hui le château se mérite : l'ascension est dure, mais courtines, tours, magasins et logis impressionnent encore, tandis que le panorama découvert au sommet justifie bien l'effort.

Une rivière en Islande

*Lorsque, dans certains lieux de notre planète,
se rejoignent phénomènes volcaniques et données climatiques
extrêmes, la nature s'offre sous des dehors d'exception.*

Île volcanique soumise aux rudes contrastes climatiques d'une terre boréale, l'Islande présente des paysages d'une beauté et d'une force qui ne cessent de surprendre. Les rivières qui, à l'échelle de la planète, reconduisent les trois quarts des eaux douces vers les océans, prennent parfois d'étranges aspects. Ainsi dans cette rivière d'Islande, coulant entre des éboulis ou des amas de sombres roches volcaniques et voyant son lit envahi d'une végétation rase de mousses humides. Comme si la nature avait voulu juxtaposer en un même site l'évocation des forces de mort et des forces de vie.

Bryce Canyon

Bryce Canyon, ce sont les grandes orgues de la nature, des reliefs monumentaux de falaises érodées en faisceaux de colonnes. C'est aussi une richesse chromatique où les verts de la végétation sont le contrepoint des rouges et des orangés de la pierre.

Parc national dès 1928, Bryce Canyon se situe dans l'Utah, à 380 km au nord de Las Vegas, à plus de 2 400 m d'altitude. Le canyon est en fait ici un amphithéâtre creusé par l'érosion dans le plateau de Paunsaugunt. Ses parois monumentales ont été travaillées par les vents, les pluies, le gel pour former comme des constructions verticales, « tours, festons, aiguilles », en mettant au jour les strates les plus jeunes de formations géologiques nées il y a 60 millions d'années. Mais Bryce Canyon vaut tout autant par ses couleurs que par ses formes. Variant du rouge brique à l'orangé en passant par une large gamme de rose, veinées parfois de calcaire blanc, les roches se dressent telles des architectures de palais fantasmagoriques. Peuplée déjà au temps des Amérindiens, la contrée le fut par les Indiens Anasazis et Pueblos, puis par les Paiutes au XIIe siècle.

West Edmonton Mall

*Il y a loin du poste avancé des trappeurs et des chercheurs d'or
à la métropole qu'est aujourd'hui Edmonton,
capitale de la province canadienne de l'Alberta, au centre
d'une agglomération de plus d'un million d'habitants.*

Sur un bras de la rivière Saskatchewan, Edmonton
est la deuxième ville (derrière Calgary) de la province dont elle est pourtant la capitale. Petite place
militaire à la fin du XVIIIᵉ siècle, Edmonton est
ensuite une étape pour les pionniers, et surtout un
centre de commerce des peaux et fourrures issues de
la faune des immenses forêts de la région. Edmonton
se voit accorder le statut de ville en 1892. Si elle est
aujourd'hui reconnue comme l'une des plus « ver-
tes » du Canada, avec le plus grand parc urbain
d'Amérique, elle ose aussi la démesure dans son West
Edmonton Mall, le plus grand centre commercial du
monde où de nombreuses attractions s'ajoutent aux
magasins dans des espaces d'une ampleur impressionnante. Et si l'on veut faire quelques longueurs
dans la piscine ou, plus original, pratiquer le saut à
l'élastique entre deux achats, c'est possible…

L'oasis de Siwa

Égyptienne ? Saharienne et berbère surtout,
par le site et les coutumes,
indifférents aux découpages politiques.

Perdue dans le désert égyptien à 70 km seulement
de la frontière libyenne, Siwa est une très vaste oasis
qui s'étend sur plus de 30 km de long et 20 de large.
Au milieu des sables, c'est en fait une petite région
naturellement irriguée par deux lacs au bord desquels on cultive des palmiers dattiers, des oliviers et
des cultures maraîchères. Outre l'agglomération
principale, el-Suk, deux ensembles d'habitations
fort anciens et l'Adrar, vaste sépulture appelée la
montagne des Morts, rassemblent les principales
constructions. La région de Siwa est toujours restée
très isolée du reste du pays. Elle est la seule zone
égyptienne de peuplement berbère, et on y perpétue
des traditions et des coutumes spécifiques. On y
parle le siwit, une variante locale de la langue berbère amazigh.

Flamboyant

Il y a des formes, des couleurs, des fleurs ou des fruits qui évoquent immédiatement l'exotisme et la séduction des terres lointaines : des arbres, aussi.

Pour rêver d'îles paradisiaques, de contrées tropicales, de lointains séduisants dont on oublie qu'ils imposent souvent aussi de bien dures conditions de vie à leurs habitants, il y a des images emblématiques aux yeux des Occidentaux. Des images belles et évocatrices. Ainsi celle du flamboyant, cet arbre dont le nom même contient une force, une puissance séductrice liée d'abord à la couleur de ses fleurs, allant de l'écarlate ou du vermillon à l'orangé. Il fleurit à la fin des périodes de sécheresse tropicales. On l'imagine dans les contrées des Tropiques depuis toujours, mais il a connu une diffusion importante et récente comme arbre d'ornement, au début du XIXe siècle, à partir de l'île de Madagascar d'où il est originaire. La forme de ses branchages, en parasol, contribue aussi à son succès.

Le Vulcano

*D'une croûte d'un jaune vif s'échappent des fumées éparses ;
l'odeur est insoutenable et contribue à l'ambivalence
des îles Éoliennes, à la fois séduisantes et inquiétantes.*

Au long des éruptions, des quantités importantes de
soufre se sont déposées sur l'arête cernant le cratère.
L'intensité des couleurs est extrême : les bleus du
ciel et de la mer, le jaune acidulé ; paysage inimagi-
nable et pourtant bien réel, aisément accessible en
400 m de marche. Mais les apparences sont trom-
peuses : selon les spécialistes qui veillent sur lui, le
Vulcano est l'un des volcans les plus dangereux du
monde, pouvant exploser à tout moment en une
violente éruption ; ce qu'il fit en 1889 et que l'on
redouta en 1968, quand des secousses et des projections de vapeur firent craindre à nouveau l'éruption.

Transhumances

*a force de l'image est de fixer parfois des phénomènes inattendus
auxquels l'observation donne souvent une autre dimension.
insi ces scènes de transhumance ou de troupeau disent bien plus
que leur seule force graphique.*

De l'étable ou de la bergerie de plaine jusqu'aux pâturages des montagnes au printemps, et en sens inverse à l'automne, la transhumance a longtemps rythmé la vie saisonnière des éleveurs. Cousine des rassemblements de bétails du continent américain ou des lentes caravanes chamelières allant d'oasis en oasis en Afrique, elles regroupent les bêtes en des moments rituels que les hommes accompagnent souvent de fêtes. Mais parfois, mus par un instinct grégaire où s'exprime une vie sociale embryonnaire, les animaux se regroupent aussi par eux-mêmes, comme les oiseaux migrateurs pour entreprendre leurs longs voyages. Dans tous les cas, ces effets de rassemblement animent la nature de spectacles hélas de plus en plus rares, comme ci-contre la longue caravane des moutons dans les Préalpes ou, ci-dessous, le troupeau d'oies en Hongrie.

Bonifacio

La Corse n'usurpe pas son titre d'« île de beauté ».
Mais elle le mérite sans doute plus encore ici qu'ailleurs, tant la ville
a su s'inscrire avec audace et harmonie dans un site exceptionnel.

À l'extrême sud de la Corse, le site de Bonifacio est occupé dès le néolithique ; à l'époque
romaine, il abrite un port qui commerce avec la
Sardaigne toute proche. En fait, le site est double : sur une presqu'île au sommet de superbes
falaises calcaires se tient la ville haute ; elle aligne
des maisons en à-pic au-dessus de la mer. En
bas, dans une anse profonde et sûre, se situe la
Marine, le quartier du port. Dans une région où
se mêlent le calcaire et le granit et où les montagnes plongent directement dans une mer
aux fonds superbes, la zone côtière de Bonifacio
présente un grand nombre de calanques et de
criques, de falaises percées de grottes mais aussi
de plages hospitalières. Sous la lumière ardente
du Midi, les couleurs y prennent plus de force
qu'ailleurs, et nul ne peut rester insensible à un
lieu d'une telle beauté.

Alesund

Circuler dans la ville norvégienne d'Alesund,
c'est passer de ponts en tunnels
et jouer à saute-mouton avec la mer du Nord.

Une ville bâtie sur des îles au relief parfois pro-
noncé, telle se présente Alesund, au pays des plus
beaux fjords de Norvège. Ce port marchand et port
de pêche avait été fondé au XVIIIᵉ siècle et construit
alors en bois, comme il était d'usage dans les pays
nordiques. Un immense incendie ravagea la cité en
1904, suscitant une grande émotion dans toute
l'Europe. La reconstruction, trois ans plus tard,
donna son visage actuel à Alesund, avec plus de
300 constructions, publiques ou privées, édifiées en
pierre ou en brique dans un style très caractéristique proche de l'Art nouveau. Leurs façades sont
colorées et ornées de reliefs sculptés. Un intérêt qui
vient s'ajouter à celui du site pour attirer de
nombreux visiteurs dans la ville, par ailleurs très
active ; elle est notamment le premier port de pêche
au hareng de Norvège.

Les Halligen

Étonnante île que celle-ci, minuscule îlot de l'archipel des Halligen, en Frise du Nord, en Allemagne ! Une île comme on en rêve étant enfant, que l'on voudrait rien que pour soi.

Les îles de cet archipel de la mer du Nord sont souvent minuscules, et pourtant souvent habitées : 8, 12 habitants, parfois… Certaines sont reliées au continent par des chaussées découvertes à marée basse. Toutes suscitent les images et les rêves insulaires, plus encore que celles des archipels dits « de rêve », où des plages de sable fin s'alanguissent sous les palmiers léchés par une mer limpide. Ici, il y a plus de rudesse, une confrontation directe entre une mer farouche et ces fragments de terre comme perdus, abandonnés. On croirait presque qu'un jour, ils vont partir à la dérive… Toutes les îles attirent, fascinent. Il existe de par le monde des agences qui en font le commerce : car qui n'a pas imaginé, un jour, avoir son île à soi, dans un souci de protection, de repli, d'isolement, tout en flirtant en même temps avec quelque mystérieux danger ?

Le temple de Borobodur

Issu de la lave, le temple y est retourné :
en 1002, une éruption du volcan Mérapi recouvre
le plus grand monument bouddhique qui soit,
taillé moins d'un siècle plus tôt dans des blocs de lave.

Au centre de l'île de Java, parmi les rizières et les cocoteraies indonésiennes, le temple de Borobodur ne sera dégagé qu'en 1965, révélant la vie de Bouddha au long de 3,5 km de bas-reliefs sculptés. Une masse pyramidale à cinq terrasses carrées sert de base à l'édifice de pierre noire, volcanique. Au-dessus, un tronc de cône est interrompu par trois plates-formes circulaires sur lesquelles s'élèvent 72 stupas ajourés, sanctuaires en forme de cloche abritant chacun une statue du Bouddha. Au sommet, enfin, un énorme stupa couronne l'ensemble. Ainsi se manifeste la montée de la conscience par trois mondes, ceux des désirs, des apparences puis de la divinité, montée qui se parcourt d'est en ouest en suivant la course du soleil.

Palmyre

Palmyre, mythique ville antique, est la cité de la reine Zénobie.
Elle osa tenir tête au pouvoir romain :
son royaume devint un champ de ruines.

Au milieu du désert de Syrie s'étend une plaine fer-
tilisée par des sources, vaste oasis où les hommes se
sont installés depuis la préhistoire. Près d'une
source chaude d'eau sulfureuse, auprès d'innombrables palmiers qui lui donneront son nom, la ville
de Palmyre est attestée 2 000 ans avant J.-C. On
la nomme alors, en araméen, Tadmor, la cité des
dattes. Pour les caravanes marchandes reliant la
Méditerranée à la Perse et à l'Orient, c'était une
étape idéale ; elle devint aussi lieu de rencontre et
d'échange entre les cultures. Ses temples étaient
consacrés à toutes sortes de divinités, orientales,
grecques, romaines ou locales. Une diversité encore
sensible aujourd'hui, même si les ruines majestueuses sont pour l'essentiel romaines.

Le château d'Amboise

*L'élégance de la Renaissance venue d'Italie
fait oublier la forteresse médiévale. Sur les bords de Loire,
la lumière, la douceur et le charme règnent en maîtres.*

Amboise est un château royal : Charles VIII y est né
et l'a embelli, tout comme Louis XII. Tous deux
connaissent et apprécient les nouveaux courants
culturels et artistiques qui naissent en Italie et que
l'on nommera Renaissance. À Amboise, avec le
premier, l'architecture gothique finissante se pare
d'élégance ; avec le second, la Renaissance confirme
qu'un château est désormais une demeure de plaisance bien plus qu'un ouvrage militaire. Sur des
bases défensives antiques et médiévales que l'on
oublie presque, se dressent alors un logis, des terrasses, des jardins où s'inscrivent les premiers traits
d'un nouvel art de vivre. Il vient d'Italie avec
les artistes appelés par François Ier. Ici, à Amboise,
son meilleur ambassadeur n'est autre que le génie
protéiforme Léonard de Vinci. Il achèvera sa vie à
deux pas du château, au manoir du Clos-Lucé.

Les arènes de Ronda
et d'Arles

*Baroques à Ronda où elles n'existent que pour la tauromachie,
antiques à Arles où elles participaient à l'art de vivre
de la civilisation romaine, les arènes témoignent
de la vie sociale et de la culture de ceux qui les ont édifiées.*

L'arène est beaucoup plus qu'un lieu de spectacle.
Est-ce par la symbolique du cercle, par le fait qu'elle
soit refermée sur elle-même? Est-ce pour l'intensité
dramatique de ce qui s'y déroule souvent ? Par-delà
les siècles et les époques, les arènes de Ronda,
magnifique architecture de 1780 et haut lieu de la
tauromachie, répondent en cela aux arènes antiques
d'Arles, construites, elles, au premier siècle de notre
ère. Si ces dernières accueillent aujourd'hui des cor-
ridas, elles ont vu bien d'autres spectacles, probablement bien plus violents ou cruels. Dans un cas
comme dans l'autre, dans la tension du spectacle ou
du combat, la surface centrale devient un univers
fermé en dehors duquel plus rien n'existe : l'arène
concentre un monde où s'expriment les passions, les
pulsions humaines auxquelles le public participe
comme par procuration.

Saint-Pétersbourg

En retrouvant son nom historique, la ville impériale a retrouvé tout son faste d'antan. Saint-Pétersbourg est redevenu l'une des grandes capitales culturelles de l'Europe.

Oublié, le Léningrad d'hier, au profit du Saint-Pétersbourg de toujours. C'est ce que semble vouloir dire la ville, retrouvant sa fierté de capitale impériale et valorisant son riche patrimoine. En 1703, c'est la volonté du tsar Pierre le Grand qui donne naissance à la ville, tout près du delta de la Neva qui l'irrigue. À partir de 1712, elle est le siège de la cour, et toute la noblesse de Russie s'y installe, rivalisant de faste. Contrepartie de son prestige, la cité aux magnifiques palais, aux nombreuses églises, est le centre des révolutions de 1905 et 1917. Aujourd'hui, forte de 4 millions d'habitants, Saint-Pétersbourg est à la pointe de l'évolution de la Russie : les « nouveaux riches » y hantent le décor voulu par les tsars, le long des quais, aux abords de l'Ermitage – l'un des plus riches musées du monde –, sur la place des Palais ou la perspective Nevski.

Village au pays de l'Omo

Tout semble serein dans ce village de la vallée de l'Omo. Serein et immuable. Même si la vie est difficile, même si la menace du « choc des cultures » se fait de plus en plus pressante.

La vallée de l'Omo est un haut lieu de l'origine de l'histoire humaine : d'importantes découvertes paléontologiques y ont été faites, et on ne peut s'empêcher d'imaginer la vie de nos plus lointains ancêtres en contemplant celle des tribus d'aujourd'hui. Pourtant, que de progrès déjà ! Mais à l'aune de notre propre civilisation, « les peuples de l'Omo » sont encore bien loin de nous… Dans un pays où les conditions naturelles – climatiques surtout – et économiques sont extrêmement difficiles, ces tribus trouvent leur force de survivre et leur ténacité dans une simplicité, une frugalité enracinée dans une culture fidèle aux traditions et coutumes ancestrales. C'est ce qui séduit photographes et voyageurs occidentaux, mais doit aussi inspirer une grande vigilance pour préserver une authenticité fragile.

La fontaine de Trevi

Une pièce jetée dans son bassin, et l'on est assuré de revenir à Rome… Est-ce cette tradition ou sa beauté qui attire tant de touristes à la fontaine de Trevi ?

Voici bien le foisonnement baroque, l'esprit de la ville de Rome manifesté dans la pierre d'où jaillissent les eaux d'une fontaine grandiose pourtant sur une toute petite place. La plus célèbre des très nombreuses fontaines de Rome met en scène Neptune sur son char que tirent des tritons, une composition dessinée en 1732 par Niccolò Salvi. Le caractère grandiose de son œuvre est renforcé par son décor de fond : le portique monumental du palais auquel elle est adossée. La fontaine est toujours alimentée par un aqueduc romain, de l'époque d'Agrippa ; sa construction est évoquée sur un bas-relief tandis qu'un autre représente la légende de la jeune fille qui aurait indiqué à deux des soldats de l'empereur l'emplacement de la fontaine primitive. Quant au nom de la fontaine, il est hérité du latin désignant un carrefour de trois rues : *trivium*.

Lübeck

*Lübeck, ville du Nord, ville de briques rouges, ville portuaire.
Son cœur ancien montre la prospérité médiévale
d'une ville marchande.*

Cité d'origine slave, Lübeck est une ville d'Allemagne du Nord, dans le Land de Schleswig-Holstein. Dirigée par un prince-évêque, ville impériale au XIIIᵉ siècle, elle est très prospère pendant tout le Moyen Âge grâce à l'activité de son port sur la Baltique. Elle sera d'ailleurs capitale de la Ligue hanséatique unissant les cités marchandes et réglementant le commerce de l'Europe du Nord. Lübeck partagera alors sa maîtrise des mers avec sa voisine Hambourg. La seconde guerre mondiale sera cruelle pour la ville, plusieurs fois bombardée ; mais un quartier gothique sera heureusement préservé, ainsi que quelques monuments comme l'hôtel de ville ou la porte monumentale du Holstentor. Un patrimoine suffisant pour rendre la ville évocatrice des foyers économiques et culturels de l'Europe du Nord au temps où se construisait le monde moderne.

Mykonos

Liée longtemps à sa puissante voisine Délos – aujourd'hui site archéologique de première importance – Mykonos mérite bien son succès touristique ; elle est l'archétype de l'île grecque telle qu'on la rêve.

Dans l'archipel des Cyclades, l'île n'est pas grande : 86 km², 6 200 habitants. Mais c'est la plus illustre des îles grecques. Sous un soleil éclatant, entre les bleus intenses de la mer et du ciel, elle multiplie criques et plages de sable blanc ou noir, et accroche çà et là des petits villages faits d'un amoncellement de maisons cubiques à la blancheur étincelante. Un peu partout, moulins à vent et chapelles rehaussées de couleurs sont pimpants. L'été, quelques pêcheurs et beaucoup de commerçants sont submergés par l'afflux touristique ; la nuit, on dit que toute l'île devient une vaste « boîte » très branchée et à forte densité « gay ». Pourtant, au matin suivant, une vieille en fichu noir viendra encore nourrir, au-dessus des maisons colorées du port, le pélican qui est la mascotte de l'île : sous la modernité très « fun », les traditions demeurent.

Le cap Horn

Embruns et grandes marées, violence de la mer,
brutalité des éléments : on n'imagine pas le cap Horn serein.
La « sentinelle du continent américain » reste un défi
pour bien des navigateurs.

Appartenant au Chili, le cap Horn est une avancée rocheuse haute de 400 m au-dessus de la mer, à l'extrémité méridionale de la Terre de Feu. Avant la percée du canal de Panama et en complément du détroit de Magellan (entre le continent et la Terre de Feu), son franchissement était un passage obligé de la navigation entre l'Europe et l'Asie par la route de l'ouest, mais un passage des plus périlleux. On dit souvent que les fonds, en ces parages, sont un vrai cimetière marin… Aujourd'hui, c'est un défi pour les navigateurs de compétitions à la voile. Le cap – qui est en fait une île – marque la frontière entre l'océan Atlantique et l'océan Pacifique. Seule une herbe rase recouvre son sol, grâce à de fortes précipitations et malgré le froid et des vents toujours très forts. Seuls habitants : un gardien de phare et sa famille.

Les Andes patagones

Rien que le nom de la Patagonie fait rêver ;
il a des résonances de bout du monde. On y découvre
des paysages à la grandeur impressionnante.

Avant que l'immense et grandiose cordillère des
Andes s'efface dans la Terre de Feu, la longue
chaîne semble vouloir faire éclater ses ultimes
splendeurs au long du territoire de la Patagonie.
Hauts plateaux et glaciers immenses, lacs et forêts
rivalisent alors en démesure au sein de nombreux
parcs naturels et réserves qui protègent autant les
paysages que la flore et la faune. Même si les sommets n'atteignent pas les altitudes des Andes du
Nord, ils restent souvent spectaculaires. En fait, la
Patagonie est dans son ensemble une contrée très
impressionnante : déjà elle avait marqué Magellan,
son « découvreur », qui avait vu des hommes aux
grands pieds, des « Patagons », dans cette vaste
pointe méridionale du continent sud-américain, une
authentique « terre de bout du monde ».

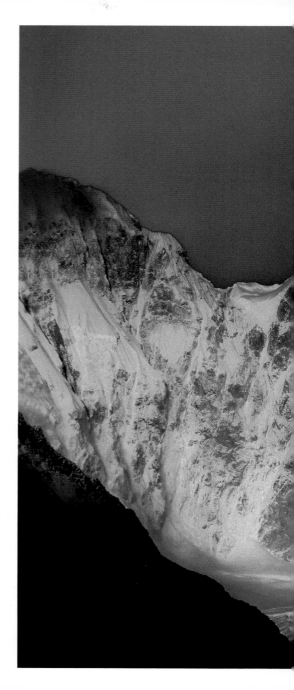

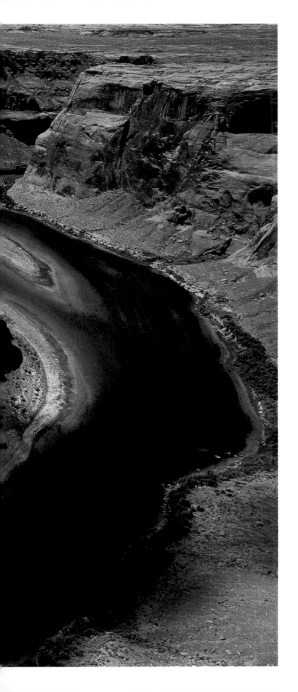

Horeshoe Bend

Un canyon en fer à cheval : depuis le belvédère qui lui fait face
la vision de ce méandre du Colorado est saisissante.

Près de la ville de Page, en Arizona, le Colorado a
l'élégance de dessiner l'un de ses méandres comme
un parfait fer à cheval. Mais le fer d'un cheval
gigantesque, à la taille de cette curiosité naturelle
d'une force et d'une beauté rares. Au fond de
la courbe régulière du canyon, la rivière apparaît
le plus souvent dans des tons verts, tandis que les
parois qui s'élèvent vertigineusement au-dessus
déclinent une riche palette de rouges ou de brun
clair. Leurs strates trahissent des âges immémoriaux, qu'il faut compter en millions d'années. Le
temps comme l'espace dépassent bien ici toute
mesure humaine.

Les chutes du Niagara

Frontalières entre le Canada et les États-Unis,
les chutes du Niagara appartiennent
au panthéon des sites naturels du monde. Leur succès
touristique en est la contrepartie,
mais leur majestueuse grandeur fait vite oublier cet inconvénient.

Plus que leur hauteur, c'est leur largeur, leur ampleur et la force de leur débit qui ont rendu et rendent encore célèbres les chutes du Niagara. Elles se sont formées lors de la fin de la période glaciaire dite du Wisconsin, il y a 10 000 ans, en même temps que les grands lacs de cette région du nord-est de l'Amérique, quand commença à se dessiner le cours de la rivière Niagara. L'ensemble se subdivise en trois parties : les chutes dites canadiennes, les chutes dites américaines, et le « voile de la mariée ». Les plus hautes tombent d'une hauteur de 52 m, et les plus larges, les chutes canadiennes, s'étalent sur plus de 790 m. Le débit moyen des eaux est de 168 000 m³ par minute, mais il est notablement réduit en été lorsque les dérivations alimentant plusieurs centrales hydroélectriques en détournent une grande partie.

Plivitce

Seize lacs et d'innombrables cascades
– plus de cent, dit-on – constituent, parmi de magnifiques forêts
le parc naturel de Plivitce, où s'effacent lentement
les traces des guerres récentes.

En Croatie, les lacs de Plivitce forment un ensemble naturel de premier ordre couvrant 266 km². Ils s'étagent entre 133 m et 636 m d'altitude, et sont reliés les uns aux autres par des chutes et des cascades de grande beauté. Partout des sentiers et des passerelles en bois permettent la découverte du site, de ses grottes et de ses points de vue. Plivitce est soumis à un climat continental – rude et neigeux en hiver où la surface des lacs gèle – tempéré cependant par l'influence maritime. L'un des traits les plus caractéristiques des lacs de Plivitce est la transparence de leur eau ; sans même être tout au bord, on voit distinctement les poissons sur une profondeur non négligeable ; parmi eux, les truites sont abondantes. La forêt accueille des ours, des loups, des renards ; 140 espèces d'oiseaux ont été dénombrées.

Big Ben et Westminster

*Symbole de la monarchie parlementaire britannique,
qui se revendique comme modèle de garantie des libertés, le pala[i]s
de Westminster lance un autre symbole vers le ciel :
son beffroi, où sonne chaque heure la monumentale Big Ben.*

Chaque grande ville du monde possède un monument emblématique : à Londres, Big Ben est l'un d'eux. On désigne souvent par ce nom la tour ou l'horloge du palais de Westminster, mais il s'applique en fait, strictement, à la cloche de l'horloge, une cloche pesant 13,5 tonnes. Les cadrans, eux, ne mesurent pas moins de 7 m de diamètre ! Quant au palais, qui a pris le nom de l'abbaye voisine et borde la Tamise, il abrite les deux Chambres du Parlement britannique, la Chambre des communes et la Chambre des lords. Détruit en grande partie par un incendie, le très vaste bâtiment a été reconstruit autour de quelques salles médiévales au milieu du XIXe siècle dans le style néogothique qu'affectionnent les Anglais. Très rythmée, très ornée, la longue façade en est très caractéristique.

L'*arriada* en Argentine

L'élevage extensif pratiqué en Argentine sur d'immenses domaines donne une viande bovine exceptionnelle, recherchée par les gastronomes du monde entier.

L'Argentine est un gros producteur et exportateur de viande bovine : 56 000 têtes fournissent chaque année 2,5 millions de tonnes, dont un tiers est exporté. On dit que la qualité, le goût particulier de la viande et son faible taux de graisse et de cholestérol sont essentiellement dus au mode d'élevage pratiqué dans les très grands espaces du pays. La caractéristique principale de l'élevage argentin, c'est en effet d'être extensif et de laisser libres les troupeaux sur d'immenses prairies naturelles. Périodiquement, pour des décomptes, des marquages ou des soins, on pratique l'*arriada*, le regroupement du bétail, assuré à grand renfort de cris et de gestes de lasso par les *gauchos* galopant sur la *pampa*, la steppe herbeuse. Une fois rassemblées, les bêtes sont conduites pour cela derrière la *tranquera*, la clôture de *l'estancia*, l'exploitation du domaine.

La vallée de l'Omo

*Coin d'Afrique oublié du « progrès » au fond de l'Éthiopie,
la vallée du fleuve Omo abrite des populations qui sont
les dernières en Afrique à vivre authentiquement préservées
du monde moderne.*

Au sud de l'Éthiopie, non loin du Soudan, la vallée
du fleuve Omo semble être restée à l'écart du temps.
Elle est une terre providentielle pour les ethnologues, tant que le tourisme n'a pas encore altéré les
traditions ancestrales des populations locales. Plus
de 40 ethnies vivent encore dans le monde animiste
de sociétés primitives. Les femmes Mursi ont toujours les lèvres déformées par des plateaux d'argile ;
chez les Hamar, le jeune garçon est initié après avoir
réussi les sauts des taureaux. Souvent, les hommes
ont le corps orné de scarifications ou de peintures
étonnantes réalisées avec les doigts ou les mains et
qui dessinent des motifs géométriques ou abstraits.
Un art authentique et spontané, un mode de vie
d'un autre monde.

Bivouac au Rajasthan

Lorsque le ciel rougeoie encore, juste après le coucher du soleil,
les dromadaires interrompent leur marche lente
et on établit le bivouac autour du feu.

Le Rajasthan est un grand État du nord-ouest de
l'Inde : son nom signifie « pays des rois ». Il s'étend
entre la frontière avec le Pakistan et le bassin du
Gange, où l'on trouve ses principales villes, connues
et touristiques, comme Jaipur, Jaisalmer ou Jodhpur. En bordure de la frontière avec le Pakistan
s'étend le désert du Thar : on y voit encore des caravanes chamelières comme celles qui suivaient
les routes traditionnelles entre Orient et Occident.
Aux étapes, les gestes sont presque intemporels,
bien loin de la réputation guerrière des Rajpoutes,
les habitants du Rajasthan, que l'on dit descendre
des Huns et dont les palais – comme à Jaisalmer –
ont souvent des airs de forteresse.

Le ciel de Paris

Comme tous les chemins mènent à Rome,
Notre-Dame de Paris peut être aussi
le lieu de tous les départs...

Vu depuis les tours de Notre-Dame les toits de Paris
sont un océan où chacun reconnaît ses îles, ses repères. Un océan si riche et divers qu'il peut susciter
toutes les envies de voyages, les envies de départ vers
des destinations lointaines où d'autres Merveilles
restent à découvrir.

Achevé d'imprimer en septembre 2006
sur les presses de l'imprimerie Kapp-Lahure à Évreux
Dépôt légal : octobre 2006
ISBN : 2-7324-3496-5
Imprimé en France